# 窮傷痕的束縛

# 序

林志祥，出生於清寒家庭，成長過程中努力擺脫階級複製的束縛，最終發現無法抹除原生家庭所製造的「窮」傷痕。在通貨膨脹的社會與不同價值觀的衝擊下，變得憤世嫉俗，思想逐漸走向惡化，尋找能讓財富重置的可能性。

# 目錄

# 第二部　樂觀的窮小子

第一部

# 孤立的自卑者

# 「每個窮人心中都有個難以抹滅的窮傷痕。」

在冰冷的偵訊室裡被訊問的那端坐著一位沉靜的男子，明明是即將被偵訊的嫌犯但他臉上卻露出心滿意足的表情，好像是在告訴全世界，他完成了一件夢寐以求的犯罪。

「你計劃這件事多久了？」檢察官問。

「我無時無刻不在想這件事啊！」志祥回答。

「為什麼要這麼做？」

「請問長官，你不覺得這世上貧富差距越來越大嗎？在低薪高物價的社會，為何房價還會持續飆漲？我真的不懂，你有買房嗎？長官。」

「有，貸了30年。」

「那你有沒有覺得剝奪感越來越重？」

「他媽的！我在問你為什麼要這麼做！你在反問我什麼啊！」

「當個房奴很累吧？這就是我的犯案動機啊。」

「消郎……(台語)」

# 壹、窮傷痕

## 「鞋磨破了，如果可以買新的，誰不想換呢？」

### 籃球鞋

高中時期不管中午的太陽有多熱，在午休時間籃球場上總是少不了志祥他們三個人的身影。

「啊~幹！又是這種感覺！」志祥倒在球場上，雙手包著右腳踝哀嚎著。

「欸~林志祥，你腳真的很玻璃呢！扭幾次了？」哲軒說。

「先幫他鞋子脫掉吧，我去醫護室拿冰敷袋。」言良說。

「哇靠！林志祥，你腳有夠臭的！」哲軒一手捏著鼻子，一手幫志祥脫鞋。

「要脫就甘願點啦。」

「欸，你鞋底都磨破了，還不換一雙真的找死也。」

「這雙 TMAC 3 我可是存了好久才買的耶⋯⋯還可以打啦！」

「穿了也沒比較強啊！」

「你真的很靠盃呢⋯⋯」

「來來來，先冰一下。」言良拿著冰敷袋、哲軒扶著志祥到了樹下冰敷。

「好了，我們繼續打吧，補一個補一個。」

此時坐在樹下的志祥心裏默默想著：

「鞋磨破了，如果可以買新的，誰不想換呢？」

「真的很討厭這樣扭到腳，怎麼辦⋯真的很不想回家⋯⋯」

回到家門口時志祥很沉重的對媽媽說：「媽，我腳又扭到了⋯⋯」

「為什麼又扭到？為什麼那麼不小心！」媽媽大聲指責。

「又要花錢了！你知道去給人家喬腳又要花好幾百塊嗎？」

「媽媽在市場擺攤有時候一天連一件衣服都沒賣，你知道嗎？」

「光攤租就5百了！你為什麼要那麼不小心？」

「我一個人賺錢養你們兄弟倆很幸苦你知道嗎？」

「有時候一個月都賺到不到2萬耶！省吃儉用養你們，你就不能小心點嗎？」志祥媽媽很憤怒罵著志祥…然候她就哭了。

「我很辛苦，我壓力很大，你知道嗎？」

「我沒事啦！過幾天就好了。」志祥轉頭就往客廳方向走去。

「哥哥，你又扭到腳啦？」正在看電視的弟弟這樣問著。

「沒事啦，麥問！」

「喔…」弟弟點點頭後繼續看著電視。

此時坐在地上的志祥眼眶泛著淚，因為他知道媽媽賺錢很辛苦，不敢跟媽媽要求買雙新鞋給他，對於愛打籃球的志祥來說是件難以取捨的事，因為新鞋過沒多久又會磨平或破掉，到時候又得買一雙，他怕的是同樣的劇情又會再次上演。這就是為什麼志祥不換鞋的原因，因為要花錢；這就是為什麼志祥討厭扭傷的原因，因為要花錢。

「唉…看來到十元商店買個鞋底止滑墊貼一貼就好了。」志祥嘆氣的說。

出社會後的志祥有個穩定的工作和收入。好在這段陰影沒有抹去他對籃球的熱愛。現在的他一樣愛打籃球，球鞋磨平就換，因為他不想再扭傷了，不願再回憶起這段故事。

## 牛仔褲

### 「嗯…一條廉價牛仔褲確實沒什麼討論價值吧。」

高中時期的志祥，唯一能做的只有努力讀書考上好學校才有翻身的機會。他停止玩線上遊戲並縮短運動時間努力衝刺學測，假日也很少和哲軒、言良打球了。大學學測前半年志祥每天讀到凌晨1~2點，苦盡甘來的他終於考到理想的大學。這所學校位於都市人口最密集的城市，台北。在第一次迎新茶會中，志祥體會到都市人與自己的穿著有明顯差異。難得考上第一志願，志祥從媽媽那拿到一千元的獎勵金，恰好可以拿來買新衣服。過往衣服都是媽媽在菜市場幫他挑的，從沒自己買過衣服的志祥在街上晃了晃進到NET門市，挑了很久最終選了一件牛仔褲與T恤進入試衣間。穿上新衣服、新褲子的他顯得特別有自信，因為不再是寬寬鬆鬆的尼龍長褲配荷葉邊T恤了。

「嗯嗯，看起來比較不像鄉巴佬了。」志祥照著鏡子說著。

工科男生的裝扮其實很簡單，最常看到的就是牛仔褲配 T 恤。在開學不久的某天下課，志祥與同學「阿智」與「小育」三個人站在教室外聊天。這時話題轉到了「牛仔褲」身上。

「你這件 LEVIES 的牛仔褲，還滿好看的也。」阿智指著小育牛仔褲講著。

「還好吧…經典款的不都這樣。」小育看著自己的褲子後轉頭看阿智牛仔褲。

「哦！你穿這件是 DIESEL 的吧，好看耶！一條多少？」小育問道。

「我也忘了，5~6 千吧。」阿智不以為然的想了想。

「有錢我也想買一條，哈哈。」小育笑了笑。

這時候志祥愣住了，他心裡想著：

「一條牛仔褲 5~6 千？怎麼那麼敢花？都可以買好幾件衣服和褲子了。」

「我的牛仔褲也是新的啊？挑很久耶，顏色也不錯看啊！」

「怎麼都不跟我聊一下 NET 這個牌子呢？」

「嗯…一條廉價牛仔褲確實沒什麼討論價值吧。」

「人家名牌的一條可以抵你 10 條呢…」

在某個假日志祥和他們看完電影後在百貨公司逛了逛，他發現同學們都好有錢，看到喜歡的衣服、鞋子就直接買了，讓他羨慕又忌妒。當天花最多的就是阿智了，他很得意的說血拼了二萬多塊。此時阿智發現一件都沒買的志祥問說：

「志祥，你怎麼都不買呢？」

「呃…沒有喜歡的。」志祥回。

「喔…」阿智點點頭。

「等會去12樓吃鐵板燒好不好，那家很好吃！」阿智問了問。

「好啊，會不會很貴啊？」小育回答。

「1個人7、8百吧。」阿智回。

「喔…應該可以啦，志祥你呢？」小育問志祥。

「呃…我回學校吃好了。」志祥回。

「都來到這裡了還回學校吃？」小育說。

「對啊，那家很好吃耶！」阿智說。

「你們吃就好，其實我等下有事啦！」志祥回。

「喔…好吧。」阿智與小育點點頭後回。

「那先走嘍，掰掰。」告別後的志祥心情感到難受，心想：「其實我是沒錢，而且百貨公司的東西都那麼貴，我買不起也吃不起。唉…這就是家庭經濟的差距嗎？好討厭這種感覺。」

## 零用錢
## 「需要花錢的社交娛樂是窮人的奢侈行為。」

大一新生，就是愛跑社團、聯誼、夜衝、唱歌…等，剛開始同學有約志祥時他都會去，但他後來發現光靠媽媽一個月只能給４千元，這些娛樂費的開銷就有點多了。大一時住學生宿舍的花費少還可有些餘額去玩，但大二開始租房子後，台北的房租加上生活開銷等４千塊根本不夠用，所以大二後志祥就開始半工半讀。四年下來，他發現在這所學校裡的同學，大多數的原生家庭都還算不錯，至少有足夠的零用錢供他們花在「社交娛樂費」上。開始打工後的志祥白天上課、晚上上班，賺的錢剛好只能拿來繳房租。某日下課鐘響，志祥一如往常準備去飲料店上班，這時宗翰同學走了過來問說：

「志祥，等下又要去打工嗎？」

「對啊。」志祥回。

「想買什麼啊？那麼拼！」

「沒有啦…」此時志祥心裡想著…

（我打工是為了生活，不是為了想買什麼東西。）

「今天晚上小育他們在約唱歌，你要不要去啊？很久沒來了。」

「可能沒辦法耶，太臨時了，不好找人代班。」

「喔…越來越難約呢，上次有護校的聯誼你也不去…」

「隔天還要上課上班太累了啦，下次早幾天說，我會找人代班。」

「好啦，大忙人，改天要請吃飯了啦，賺這麼多！」

「嗯嗯…」志祥勉強笑笑點了頭。

「那我先走嘍，下次要來哦！掰掰。」與宗翰告別後志祥感到難過，他心想：

「我沒有賺很多…一小時也才 90 而已，這些錢也只能拿來付房租啊！」

「如果有足夠零用錢可以生活，誰想打工？」

就這樣一次一次的拒絕，漸漸的同學們就懶得約志祥了，當然人際關係也越來越疏遠。志祥安慰自己說：

「需要花錢的社交娛樂是窮人的奢侈行為。」

「別難過，揪人打球就好了，因為打球不用花錢啊，哈哈哈。」

志祥看著自己的球鞋，鞋底也差不多快磨平了。

「呃…還可以打啦，頂多再買鞋底止滑墊來貼一貼就好了…」

此時他非常沮喪，穿上了雨衣戴上安全帽。這天很冷，志祥心也很冷。

「我的興趣是打籃球，有球打要找我哦！我一定去！」每當別人問起志祥有什麼娛樂或興趣時，這是他最常回答的話。

## 交換禮物

**「原來窮人眼中覺得不錯的東西，在有錢人眼裡可能就是個垃圾！」**

大學畢業後的第一個聖誕節，阿智辦了場交換禮物的遊戲。好久沒參加聚會的志祥滿心期待的和同學聊聊天敘敘舊。為了買什麼禮物他想了好久，最後決定在老家的酒廠買了一瓶白葡萄酒當作交換禮物，但東西有了還欠包裝，所以就去文具行買了個的長型禮物袋。志祥此時心裡想著：

「這樣應該可以吧…希望不會漏氣。」

「禮物啊…我都記不起來上次收到生日禮物是什麼時候了。」

「嗯…好像是小一時叔叔送的電視遊樂器吧。」

「生日沒蛋糕、沒禮物。這樣想想我好像沒什麼童年似的，哈哈…」

志祥自嘲著並決定未來有賺錢後的每次生日都要為自己慶祝，買個禮物送給自己。

聖誕夜當天在餐廳裡同學們彼此聊著畢業後的動向，有的人找到工作、有的人在讀研究所、也有人正在當兵，志祥就是在當兵的其中一位。

吃飯前大家已經把全部的禮物都集中到一張桌上，坐在禮物桌旁的同學文彥，偷偷翻了一下志祥的酒，然候對旁邊的人說：

「這誰送的？」

「不知道也…什麼酒？」品沁同學好奇的問著

「呃…好像喜宴辦的那種…」

「蛤？誰這麼LOW？你猜多少？」

「幾百塊吧…」

「呃…」品沁顯露出鄙視的表情

這時坐在中間的志祥剛好看到了這一段對話，心情非常沮喪難以形容。他告訴自己：「也許這就是窮人的自卑感作祟吧，沒事的！別想了。」

晚餐吃完後準備開始抽籤，規測很簡單，只要抽到某人的名字，就能拿到某人帶的禮物，帶禮物的人要說出為什麼想送這個禮物的理由讓大家知道。主持人阿智開始輪流請人抽籤：

「來，剛順序籤抽到 1 號的先抽名字。」

「張品沁，哦~送什麼啊？」小育抽到後說。

「哇！鐵三角耳機一付！」（小育與現場人都露出驚訝的表情。）

「來，為什麼送這個？」阿智問品沁。

「這個很實用啊！」品沁回答，（現場人也點點頭）。阿智接著說：

「第一個抽出來的就那麼好，後面的人怎麼辦，哈哈，好繼續，2 號。」

「POTER 側包一個！」（現場人表情更驚訝了。）

「哈哈哈，這是我送的啦！工作百分之百用的到！」阿智說。

「你送的哦？那今天大獎就沒啦，回家啦！哈哈哈。」小育說。

一開始志祥不知道這兩項禮物的價位，他只是好奇為什麼大家都那麼驚訝，後來才知道，原來這一付耳機和包包都要好幾千塊，對於當兵一小時只有8塊的志祥來說根本負擔不起。

「哦~林志祥，送的是酒吧！一看就知道啦！」主持人阿智這時抽到了志祥的名字。

「林志祥送酒呢，哦唷~懂酒哦，改天約你去阿智家喝，他家酒櫃都快被我喝光了，哈哈。」小育語帶調侃的講著。

「你就酒鬼啊！我們前幾天幹掉一瓶我爸買的紅酒，後來查一下，嚇死！一瓶幾十萬，我還不敢跟我爸講，怕他吐血呢，哈哈哈。」阿智笑著說。

聽到這段的志祥尷尬到不知所措，因為他不知道等會要怎麼形容這個禮物。果不其然，當志祥拿出他在酒廠所買的白葡萄酒，在場的人包括阿智、小育表情都呈現出一種尷尬而不失禮貌的微笑。

「這是我家附近酒廠買的，我有喝過，還不錯！」志祥鎮定的說。

「啊~乾掉啦！阿智！」現場其他同學喊著。

「沒問題！」阿智立馬跟餐廳借了開瓶器，打開後很霸氣的單手灌了幾口。

「乾！乾！乾！~~」全場大聲鼓掌慫恿著。

「好啦好啦！繼續抽繼續抽。」阿智大約灌了五口後就把志祥的酒放到旁邊，

這段尷尬也算告一段落，當然抽籤也持續進行。

結束後，志祥也默默在注意阿智對這瓶酒的處置，心裡想著該不會等會要把它丟在餐廳吧？果不其然，最後把籤收完才走的阿智默默的看了桌上那瓶白葡萄酒，轉頭就離開了。志祥心裡感到非常厭惡說：

「原來窮人眼中覺得不錯的東西，在有錢人眼中可能就是個垃圾。」

這也是他最後一次與大學同學聚會了。

## 電玩遊戲機

## 「家境不好的同學，少來往。」

電視遊戲機，是每位小男孩都會吵著跟爸爸媽媽要的一件東西。小一時親戚送了一台紅白機給志祥，從此電玩遊戲就離不開他生活了。小三時最流行的就是GAME BOY

掌上型遊戲機，有些同學都會偷偷帶來學校，下課時互相打GAME、討論。當時志祥也很想要一台GAME BOY，在某天回家就跟媽媽吵著要買。

「媽媽，我想要買一台遊戲機，可以嗎？」志祥問說。

「媽媽沒錢，你不是有一台遊戲機了嗎？」

「那不一樣，沒有人在玩那個了啦。我要買的是GAME BOY，它跟鉛筆盒差不大，而且我可以帶到學校跟同學一起玩，好多同學都有，我也想要，可以買給我嗎？」

「跟你說媽媽沒錢，你去找你爸要！」媽媽冷冷的回。

「他想要就買給他啊！」爸爸對著媽媽說。

「你以為錢那麼好賺嗎？那你怎麼自已不去賺錢買給他？」

「工作都做不久，你當個父親都沒有責任心嗎？」媽媽大聲指責爸爸

「你給我惦起，妳就熬哦，妳尚熬哦，妳買吼依啊！」爸爸起身對著媽媽大聲吼叫，感覺作勢要摑她一巴掌，這時候志祥、志祥弟弟、媽媽都哭了。

「你趙，你就只會賭，你趙！」媽媽哭著哀嚎。

（碰！）爸爸不說一語甩門走了出去。

「不要吵架！嗚嗚~不要吵架！我不要買了…我不要買了…」志祥哭喊著。

「嗚~嗚~」看著吵架的弟弟也跟著哭了起來。

這種戲碼在志祥家經常上演，當然每次都是為了錢，為了家的經濟來源而吵。從那天起，志祥就不太敢吵著要買玩具或電動了。

小學五年級時同學們家最新的遊戲機就是PS或SEGA，志祥放學或假日的時候經常跑去同學家打遊戲機。某天，崇安同學的媽媽問志祥：

「志祥，你那麼愛玩電動，你爸爸媽媽怎不買一台給你在家打呢？」

「喔…他們都說沒錢，而且講到錢就會吵架。」

「哦~~是喔，為什麼呢？」志祥一五一十的告訴了崇安媽媽。

幾天後，崇安跟志祥說：

「欸，我媽說我不能一直打電動，你不要來我家玩了。」

「蛤，為什麼？我在家很無聊也。」

「不行啦，我媽就說不行啊，你不要再來了啦！」

一直到了小六，志祥還是在家打著紅白機。長大後志祥回憶起這段童年，心裡想說：

「崇安的媽媽，當時是不是不希望他兒子跟我玩呢？」

「也是啦！家境不好的同學，少來往。」

「窮人家的小孩，好像會給別人帶來困擾吧。」

現在有穩定工作的志祥告訴自己：

「我退休的生活都計劃好了！就是整天在家打電動，而且要買最新的遊戲機、遊戲片，所以我會更努力的賺錢，不會讓我的小孩跟我一樣被人嫌棄，想買什麼電動或玩具我一定買給他，陪他玩陪他成長。」

# 貳、階級複製

## 職業

## 「哪找有好頭路，誰麥做流氓？」

學生時期的寒暑假志祥都會利用這段時間來打工賺錢。升大四的那年夏天，同學們已經開始補習準備考研究所，志祥也想利用這個夏天好好衝刺一下，於是到補習班問了一下學費後才驚人發現，學費竟然要 4~5 萬元，這也讓他打消了這個念頭。志祥鼓勵自己說：

「算了，還是自己讀好了。打完工還有時間可以唸　！加油！」

隔年五月，志祥所報考的三間都落榜了。他難過的不只是沒考上，心疼的是浪費掉那三間的報名費和交通費。畢業後回家的那天，志祥爸爸突然問說：「畢業料哩有什麼打算？」

「做兵吧，做完兵就先呷頭路。」

「那哩可以做什麼？」

「做工程師吧。」

「喔，可以了啦。卡早呷頭路馬後，再讀下去也沒什麼意思。新聞都講碩士出來馬是3萬通仔，免浪費那二年。」爸爸說完繼續抽著菸看著電視。

回房間後志祥生氣的說：

「工科碩士在業界起碼都有四萬初吧，什麼都不懂！我才不會跟你這個廢物一樣！當完兵，我會努力工作讓媽媽過好日子的。」

過不久志祥馬上收到了兵單，新訓中心的地點是在嘉義中坑，這個營區的弟兄都來自各地縣市，每個出生背景、經歷也有所不同。同一班中有兩位和志祥一樣都來自南投。

阿奇，是位原住民。國中畢業後就在日月潭開船載遊客，他有個很狂的興趣就是飆車。第一次見到志祥時開頭就問：

「唉，大學生，你有沒有機車？」

「有啊？」志祥很疑惑的回答。

「啊你有沒有汽車？」

「買不起呢…」

「嗯…我也買不起，但我跟你講哦，我每天在開船才發現啊，開車真的很危險呢！你知道為什麼嗎？因為要一直閃路上的機車啊！嗯…還是開船比較好，開船都不會遇到紅綠燈，我超討厭停紅燈的，停紅燈超煩。」

「哈哈，每天開船你是在補魚的哦？」

「不是~我在日月潭載遊客。」

「喔…。」

「我再問你哦，那你機車有沒有改過？」

「沒有呢。」

「那還好，我後悔改太多了。我花很多錢改呢！」

「呵呵…那你車一定很帥。」

「一定要帥的啊！我晚上都會跟朋友去飆車，不帥怎麼可以！」

「飆車，很危險吧？」

「不會啦，被警察追才比較危險…」

「哈哈哈，難怪你剛才說停紅燈很煩，你跟本不會停吧？」

「唷~你好聰明呢，大學生。」

「哈哈哈…」此時志祥心想：

「你剛提到路上閃機車很危險，在淺意識裡，你可能是害怕自己有天被車撞吧…GOD BLESS YOU。」

熟識之後得知阿奇爸爸也在船家那工作，媽媽是家庭主婦，家中有五個小孩，光靠爸爸一人養一家七口，也算是很有難度吧…難怪阿奇國中畢業後就跟爸爸一起工作了。在退伍前志祥問了阿奇：

「阿奇，你退伍後要幹嘛？繼續開船嗎？」

「對啊，不然要幹嘛？我也不知道要做什麼呢…不像你~大學生，工作應該很好找吧？」阿奇反問。

「也沒那麼多選擇啦，找相關科系的吧。」

「喔…我是聽說大學都有什麼科、什麼科的。我是不懂有什麼差啦，能賺錢就好啦！」

志祥心想：「阿奇的世界就是那麼簡單，是不是只求個溫飽就好？他未來是不是就這樣了呢？難到他不想做些別的嗎？不過感覺他開船開得滿快樂的，人生規劃啊？讓他自己想想吧，必竟我也沒資格去管。」

經過很多年，有天志祥與她女朋友在日月潭遊湖時搭的船恰好就是阿奇開的。志祥坐在船上靜靜觀賞著風景，一邊聽著阿奇對遊客們講解、聊天：

「我每天開船才發現啊，開船都沒有紅綠燈耶！哈哈哈！」

「那個吼…你們晚上凌晨最好不要在外面亂晃！很危險哦！有飆車族呢…在家睡覺就好啦，反正這裡晚上很無聊，睡覺就好不要出門。」

志祥笑了笑發覺阿奇個性一點都沒變，不過他手臂與腳都有很嚴重的傷痕，很明顯是車禍造成的。志祥感嘆的說：

「他講這段話，應該是不再飆車了吧。」

「副駕坐著一個國小生，長得很像阿奇耶，應該就是他兒子吧。」

「阿奇跟他爸都在這工作，未來他兒子是不是也在這開船呢？這就是階級複級吧。不過看他們開的滿開心而且收入應該滿穩定的，也算不錯吧。」

看著阿奇不禁讓志祥想到自己的父親那樣沒責任、沒擔當。心想如果他有一個認真在為家賺錢的父親，他的窮傷痕是不是就不會存在了呢？想著想著也回憶到另一位新訓中心認識的弟兄「中仔」，他也算另一個階級複製的例子吧。

中仔，高職畢，也是南投人。手臂、背上都是刺青，聽說家中都是混黑道的，是位很有正義感的流氓。

當兵休息時間有人會去買飲料、有些人會抽菸，中仔此時就會跟班長暗示一下：「班長！(比著抽菸手勢)」，班長點點頭後中仔、阿奇就會到暗處去抽，不抽菸的志祥也會投一罐飲料跟著過去聊天。

「我跟你說哦，我覺得這裡的水一定有問題，我已經好幾天沒揪啊呢(指勃起)，而且完全都不會想查某(女人)。」中仔很疑惑的講。

「我也是呢，大家都說新訓中心的水都是乖乖水，應該是真的哦！」阿奇點點頭回。

「真的假的？會不會是太累啊？」志祥問道。

「沒呢，這甘納馬怪怪耶…以前我在工廠做過都比這還累，這水一定有問題，我要去問班長！」中仔很篤定的說。

「班長啊，偷偷問一下，這裡的水是不是有放什麼東西啊？我下面好幾天沒硬了呢…」中仔問班長說。

「沒啦，班長啊，你確定我們的水沒有滲什麼東西嗎？」

「張耀中，你不要在那亂想，你老二還會想幹嘛，那就是你過太爽！」

「你要不要先跑營區十圈我再跟你解答？」

「啊，好好好，麥問麥問。」中仔回來跟阿奇和志祥講。

「唉唉唉，我跟你們講，這水一定有問題！」

「聽到了啦，哩就敢問耶…」志祥回答。

「這樣不行，我放假一定要去套幾勒，看看還能不能用。」

「哈哈哈哈哈。」阿奇和志祥大笑著。

某天班上的弟兄在欺負一位有點陰柔的男生，我們都叫他「妹仔」。

「妹仔，聽說你之前是留長頭髮，照片看一下啦」弟兄A說道。

妹仔從皮夾裡拿出一張未理平頭前的照片。

「幹，真正看起來甘那母耶呢！」弟兄B說道。

「哦唷~那你會不會裝假奶啊？」弟兄A抓著陰柔男胸部。

「欸！看就看不要碰我！變態、流氓啊！」妹仔大叫。

「靠盃啊，那麼大聲？」弟兄A大力推了妹仔一下。

「看你應該是督投前哦，那麼有架式！」

妹仔這時眼眶泛著淚，看起來很憤怒，感覺即將要向弟兄A揮拳時，看不過去的中仔跑了過來，大喊：

「幹，你們就只會欺負這款耶啊？」

「關你什麼事蛤？你馬護他嗎？」弟兄B回嗆。

「我要管，你又能對我安怎？」中仔與兩位弟兄互相叫囂，雙方互推後打了起來，好在班長立馬衝了過來大聲喝止：

「幹嘛！你們在幹嘛！張耀中！你們還打架啊？想在新訓中心待到退伍是不是！」

「全員集合！」班長大喊後接著說：

「這裡是軍中，敢打架我就往上報，必要時關禁閉，你們就是過太爽才會有餘力在這做些有的沒的！全部都有，扶立挺身，預備！」

好險這件事沒有愈鬧愈大，可能弟兄A/B也覺得理虧吧。不過有趣的事，經過這件事後妹仔時常會對著中仔笑且面帶撫媚的表情。

「幹，就恐怖耶，他如果再一直看，我就給他巴下去！」中仔說。

「哈哈哈，騎下去了啦。」阿奇說。

「捎，這款耶我還真正不敢騎…」中仔回。

「大學生，你女朋友勒？恁親怎麼沒看你帶來？」中仔問。

「好幾年沒交了啦…」志祥回。

「那不是忍好幾年，要不要結訓後帶你去套一下？」

「甭啊啦…」

「喔…就乖呢，大學生都那麼乖哦？」中仔調侃的說。

「呵呵…」志祥翻了一下白眼。

「你退伍後應該真好找頭路吧？大學生。」中仔突然認真的問。

「應該吧，你勒，想馬做啥？」志祥問。

「我爸說啊，我退伍後要去幫忙選舉，看能不能做個代表什麼的。」

「幫忙助選哦？哪個黨的？」

「哪個黨都沒差啦，我爸說只要有錢養我們這群兄弟就好，做流氓太累了。哪找有好頭路，誰麥做流氓？」中仔沉重的說。

「如果你們幫忙選的人，沒上怎麼辦？」志祥問。

中仔沉默了一下後回：「繼續做流氓啊！」

志祥此刻心裡默默的想著：「這又是階級複級吧，我以後會不會變得跟我爸一樣呢？不行！絕對不行！」

## 「有錢人隨手可得的東西，我不知道要努力多久才能擁有…」車

新訓結束後，志祥分發到陸軍總部當文書兵。總部就是一堆星星炮炮的集中營，所以餐廳的伙食算是不錯且上級單位也比較少進行操練。能來到總部就三種人「靠關係」、「特殊專長」、「學歷」，志祥剛好就靠著「學歷」進到總部。在陸總的 10 個月和志祥最熟的兩位弟兄就是「富田」與「信傑」。

富田，台中人，爸媽已退休，五專畢業有 AUTOCAD 的專長，因此被選進來總部幫

忙畫圖，個性上跟志祥一樣很節儉。

信傑，彰化人，家裡開建設公司，國中就被送到國外唸書，大學畢業後回台當兵，他不否認是靠關係進來陸總的。

分發到陸總後的懇親日，當天如果有家人來，只需簽個名就可以在中午離營休假；沒有家人來的要待到5點半才能走。志祥不想麻煩家人大老遠搭車過來簽名，只好私下問富田，是不是可以請他爸媽幫忙「領」走志祥，富田二話不說立馬答應。

「謝謝富田媽媽。」志祥道謝。

「不會啦！小事情。」富田媽媽說。

「你要不要搭便車跟我們回台中，順路載你去車站？」富田爸爸問。

「不用麻煩了啦，我等下坐車回去就好。」志祥不好意思的說。

「你還是要到台中車站轉車啊！就一起嘛，還省一趟車錢呢！」富田說。

「對啊，順路。」富田媽媽說。

「謝謝啦，真不好意思。」志祥笑笑點頭。

12點一到連長集合準備放假的弟兄們，講完休假時軍人該遵從的規定後就放人了。

離開時，在停車場看到了信傑與他的家人正準備要上車。

「那是信傑耶，哇塞！他爸開馬莎拉蒂耶！」富田驚訝的說。

「是耶，簡值是一棟房子在馬路上跑。」志祥說。

「你那弟兄家可能很有錢哦！」富田爸爸問。

「是啊，他家好像是開建設公司的。」富田回。

「哦，難怪，我剛剛看他爸的穿著滿像黑道的。」富田爸爸說。

「還好吧，哪有穿長版黑西裝就是黑道。」富田回。

「唉，建設公司很多都黑道把持的好嗎？」富田爸說。

「不一定啦，有錢人穿卡趴啊！」富田媽回。

「也是啦，反正我們普通人是不懂啦，哈哈。」富田爸說。

富田爸的穿著就跟一般 5、60 歲的中年男子一樣，polo 衫加西裝褲，開著一台 20 幾年的 toyota。在路途中得知富田爸從工廠退休好幾年了，看到富田與信傑的父親，志祥又想起：「如果我爸能夠像他們這樣正常賺錢養家，我們家是不是不會過的那麼辛苦了呢？」

「為什麼不想要多賺點錢，讓我們過好生活呢？我真的想不懂。」

「這不是一個做父親的基本責任嗎？」志祥愈想愈難過。

收假回來過了幾天，志祥聽到班長跟信傑的對話，好像是信傑要申請車證的事。

「哇塞！胡信傑，你買新車啊，還賓士的耶，開得比連長還好，這樣對嗎？」班長嘲諷了一番。

「喔…我跟我爸說每個禮拜坐車回去太久了，所以就請他買台車給我當通勤用。」信傑說。

「幹，買車講得好像買水一樣容易呢。」

「啊~班長不要這樣講啦，來來來，我請你抽根菸。」

信傑是個很會 social 的人，收假時經常會帶吃的回來請留守的人吃，跟連上弟兄、長官都很麻吉。志祥心想：

「這樣的交際是不是都用錢堆出來的呢？」

一樣看到班長與信傑對話的富田說：

「賓士耶，天啊，我要賺多久才能買？」

「當兵一小時 8 塊，2、30 年吧，哈哈哈。」志祥笑著說。

「唉…想到車我就想到我哥真的很不懂事，明明工作不穩定，還吵著要我爸媽買車給他，就為了要載他女朋友。」富田說。

「真的哦？」志祥回
「就經常說要約會、出去玩，沒車很麻煩啊！而且沒錢的時候還會找我媽要，一直在吃他們老本很討厭！」
「你哥幾歲啊？」志祥問
「快30了好嗎？」富田氣著答。
「那還真不懂事…」
「對啊，他經常都跟他女友去吃餐廳，一餐起碼都要花6~7百吧，平常我一餐最多6、70的便當就搞定了，他們的一餐我就可以吃好幾餐了，根本浪費錢嘛。」
「如果說每餐都吃確實花費很大。」
「所以就月光族啊！而且最近失業還吵著買車！唉…」
「確實很不懂事，你家人很寵他吧？」
「對啊，小時候他想買什麼就有，我想買都說用哥哥的就好。」
「是滿不公平的，沒關係啦，轉念一下，退伍後你有穩定工作和收入，他到時候還是那樣「匪類」，你家人就會以你為榜樣，不會再讓他這樣為所欲為了吧…」
「啊災…希望嘍。」

這時候信傑與班長帶著幾罐飲料和餅乾回來了。

「來來來，胡信傑請的」班長說。

信傑拿著食物到富田和志祥面前問說：

「富田、志祥，我這假日剛好要去台中，你們坐我車，我載你們到車站，要不要？」

「好哦，省一趟車錢呢！」富田說。

「ok啊，還沒坐過賓士呢。」志祥說。

「唉，你下次開你爸那台，我更想坐馬莎拉蒂。」富田說。

「我爸才不肯勒，而且開來這邊太高調了。」信傑說。

「賓士就不高調哦？」

「還好吧，我回台灣後看路上雙B也滿街跑啊！」

「也是啦，台灣有錢人很多。」

「啊~呷餅啦！」志祥開了包餅干給富田，也結束了車子這個的話題。

其實志祥也跟富田一樣很羨慕信傑，他不知道要多久才能買台自己的車，嘆氣的說：

「唉…有錢人隨手可得的東西，我不知道要努力多久才能擁有。」

## 別墅

## 「有錢人主導的遊戲，玩家為了生存真的可以任意被踐踏。」

那天過後，志祥才了解到有錢人的世界是多麼的遙不可及。

(信傑開著新車載志祥、富田回台中的路上)

「進口車就是不一樣，沒什麼聲音耶，不像我爸那台 20 幾年的 toyota，一上高速公路就吵的要死。」富田說。

「是喔，我是沒開過日系車啦，不過我在國外看滿多人在開的。」信傑說。

在點了一根菸後的信傑忽然問說：

「唉，你們有沒有抽過大麻？」

「蛤？大麻？沒有耶，我連菸都不會抽了。」志祥回。

「沒有耶，那不是毒品嗎？」富田說。

「我跟你們講大麻其實沒什麼，沒那麼誇張，我在國外唸書時常抽。」信傑回

「不會被抓嗎？」志祥問。

「不會啦，我跟我朋友都自己捲菸來抽的。跟你們說啦，抽起來真的很爽！人整個放空，我車上就有啊，你們想試的話等會到休息站我捲給你們。」

「還敢帶來營區哦？跨張耶！」富田驚訝說道。

「怕什麼？我跟你們說，我有次中午去休息室看到首席也在抽，我光聞那個味道就知道是大麻了，他都帶了怕什麼？」信傑說。

「真的假的？」志祥和富田都很驚訝。

「騙你們幹嘛，怎樣？等下要不要試？」

「不用了，不用了。」志祥和富田都回絕。

「你們很俗仔呢！」過了一會信傑又開了個話題：

「唉，你們有沒有妹可以找啊？我星期六晚上想唱歌開個趴，有的話一起帶來我家玩。」信傑問。

「沒有呢，哪像你又帥又有車，我阿宅一個。」志祥說。

「哈哈，我母胎單身，而且交女朋友好像很花錢，我看我哥每過節日都要送禮物不然就是出國玩，好恐怖哦！」富田說。

「唉，涂富田你這樣不行哦，趁年輕要多交妹啊！你不會還是處男吧？」信傑問說。

「我是啊，呃~~我交不到啦…靠你介紹了。」富田回。

「沒問題啊！這星期六晚上來我家，我找妹子給你們認識。」信傑信誓旦旦的說

「真的假的？」富田問。

「哦唷~信傑哥就是不一樣呢。」志祥說。

「就這樣說定哦！星期六，七點前你們搭車到彰化這個地方，我去載你們。」信傑說。

「謝謝信傑哥！」富田與志祥回答。

信傑家在彰化縣一處滿隱密的地方，大門柵欄的長度差不多和學校門口一樣長，門的材質看起來就特別的堅固。到車庫後更讓富田和志祥嚇了一跳，除了上回看過的瑪莎拉蒂外還有另一台賓利和 jagar。

「哇！那台賓利也是你爸的嗎？」富田問。

「對啊！你看，他都買那麼貴的車，你說只給我買初階款的賓士是不是很小氣。」信傑回。

「旁邊那台紅色 jagar 休旅，應該不是你爸的吧。」志祥問。

「不是，那台是我爸女朋友的。」信傑回。

「喔…？」

「我爸跟我媽早就離婚了，她女朋友因為懷了我爸的小孩，所以我爸才留著她們。」

「嗯…」志祥也不好意思多問。

停好車後，信傑開始介紹他家的別墅。

「這裡總共有三棟，最大棟是我爸住的，其它兩棟是我和我弟的。」信傑說。

「這片庭院啊，每個禮拜都會請人來打掃、修剪那些花花草草。」

「難怪這麼乾淨。這塊地和房子是你們家自己蓋的嗎？」富田問。

「不是耶，是我爸當初跟一個建築設計師買的，他在業界還算滿有名的，會自己買空地蓋房子，蓋好後再找買家買。」信傑回。

「這樣要多少錢啊？」

「2 億多吧。」

「哇！」富田和志祥都露出驚訝的表情。

一到屋內桌上已經擺滿了山珍海味，隱約還看到廚房2個外傭仍在準備飯菜。

「叔叔好！」富田和志祥問好。

「你們是做兵的朋友喔，甭客氣，來來來，呷飯呷飯」信傑爸爸笑笑的回。

吃沒多久，可能怕尷尬吧，信傑爸爸就先離席了。

「你們慢慢呷吼，我呷霸啊，等下信傑會帶你們下去唱歌。」

「好，謝謝。」。此時志祥打了個暗號給信傑問說：

「唉，信傑，你不是說有妹，妹呢？」

「九點才會來啦！」信傑回。

「這麼晚？」

「哪有人這麼早在開趴的？」信傑回。

晚餐後信傑帶志祥和富田到別墅樓下的一間歌房，裡面有著豪華音響設備和酒櫃，簡值就跟酒吧一樣。

「你們要喝什麼啊？」信傑問。

「啤酒。」富田說。

「我也是。」志祥說。

「這邊沒啤酒耶，紅酒、威士忌？」信傑問。

「太烈了吧…我唱歌都喝啤酒，而且感覺就是要配個炸物啊！」富田說。

「你以為這裡是好樂迪哦？哈哈。」志祥說。

「哦～好像不錯呢，好久沒吃了，那我叫外傭去買好了。」信傑說。

到了九點多信傑的朋友來了，三個打扮很漂亮女生，她們非常熱情也很會帶動氣氛，立馬插播了好幾首 high 歌。在聊天過程中只有信傑能自然的和女生應對，志祥還可以插個幾句話，但對於沒交過女友的富田來說就有點招架不住了，女生們得知後會故意接觸富田身體虧說：

「不要這麼害羞嘛！」「聽說你是處男吼？」

「嗯…」富田點點頭。

「那我們等下是不是要包個紅包給你？」

「哈哈哈！」眾人大笑。

一個多小時後信傑給男生們一個眼神暗示說要出去聊一下…

「來來來，我們男生去抽個菸。」

「如何？兄弟，喜歡哪個啊？」信傑問

「都很好聊啊，可以做個朋友。」志祥說。

「做什麼朋友？這些傳播妹都可以接的好不好，喜歡的待會就各自帶到房間，我先說我要alice哦！哈哈。」信傑說。

「蛤？傳播妹？」志祥與富田驚訝說。

「當然啊，今天就是幫涂富田來破處的好嗎，哈哈。」

「啊…不要啦，我不行啦，而且我沒錢。」富田緊張的說。

「我也沒什麼錢，只能找這些想賺錢的學生妹而已，素質就還可以嘍，不要挑了啦。我跟你們說我爸找的才叫優，都找小模等級的你知道嗎，啊…這提外話，喂，涂富田是不是男人啊？上不上啦！這次不上一輩子當處男哦！」信傑說。

「上了啦！富田。」志祥也推一把。

「上上上！那我要Beebe。」富田說。

「哦~」信傑與志祥拍手鼓掌。

「志祥你勒？」信傑問。

「我就算了啦，不想把錢花在這。」志祥說。

「嗯…好吧！反正今天目的幫富田破處的。」信傑回。

回歌房後信傑過去和 Beebe 交談，Beebe 點了點頭，似乎接了富田這份差事，接著 Beebe 拉著富田的手說：

「富田，跟我來，我有東西給你看。」

「等下，我雞排還沒吃完耶，冷掉不好吃了。」富田說。

「你很好笑耶，帶著帶著，跟我來啦！」Beebe 說。

不久信傑跟 alice 也離開了歌房，剩志祥與 Stacy 倆人。

「剩我們倆個了耶…」Stacy 近距離的對著志祥說。

「嗯…」志祥談定的回。

Stacy 主動親了一下志祥的臉頰，志祥委婉的推開了 Stacy 說：

「不好意思，我不想。」

「你是 gay 嗎？」Stacy 問。

「我不是，我只是不想。」

「你好無聊哦！」Stacy 有點不開心的回。

「你…為什麼想做這個啊？」志祥問。

「嗯…想買包包嘍。」Stacy 回。

「那我這份你不是賺不到了？」

「沒關係，信傑會給我們基本出場費，就當做來這玩嘍。」Stacy 回。

倆人就在歌房裡繼續唱歌，志祥看了看周圍的音響設備、房屋的裝潢和家具，再看看為了包包而墮落的 Stacy，不禁心想：

「我和信傑是完全不同世界的人，沒那個屁股就不要吃那個瀉藥，以後少來往的好。」

回總部後連上傳出一件有關富田的趣事，志祥聽到的內容是這樣的：

「聽說涂富田假日找傳播妹破處了耶！」

「還聽說他準備要做的時候，堅持要先把雞排吃完，不然冷掉會不好吃，哈哈哈！超北爛的！」

志祥聽到後還滿蠻生氣的，百分之百是信傑分享出來的，怎麼可以拿別人來開玩笑？他立刻去找信傑理論：

「胡信傑，富田去你家的事，你為什麼要在軍中講？」志祥問。

「有什麼不能講的嗎？很好笑啊！」信傑回。

「你有想過富田聽到後會怎樣嗎？」

「他應該會很開心吧，我幫他破處了耶。你在不爽什麼啊？這也不關你的事啊！」信傑回。

「對！是不關我的事！」志祥也不想跟信傑多說什麼，氣的轉身離開。

志祥心想：「有錢人主導的遊戲，難到玩家們就可以任意被踐踏嗎？」

又到了週末放假前，富田問志祥：

「志祥，你明天不搭信傑的車哦？」

「不用了，我覺得他開很快很恐怖。」志祥回。

「是滿快的啦，不過可以省車錢耶。」富田回。

「不用了，我坐車就好。」

「喔：好吧。」

過了不久富田也不坐信傑的車了，他跑來跟志祥說：

「唉，我真的覺得他開太快了，還是生命重要，我跟你一起坐車好了。」富田說，

這一天富田在車上問了志祥：

「那天你覺得好玩嗎？」富田問。

「還可以啦，只是我覺得我不是有錢人，沒辦法這樣玩。」志祥回。

「是啊，而且來到這種超級有錢人的家，都有懂莫明的恐懼感。」富田說。

「對耶，我也是，不知道為什麼？」

「好像看到公司的大老闆一樣！」

「對對對，很像。」

「這就是有錢人的氣場吧，普通人就是會被震到。」

「如同被壓榨的工人一樣，為了薪水不得不低頭的那種壓迫感，是不是很像？」富田說。

「嗯，我能感受的到。」志祥默默的思考富田說的話，也回想到信傑對富田所做的事，他再一次確定了：

「有錢人主導的遊戲，玩家為了生存真的可以任意被踐踏。」

# 參、惡化

## 剝削

### 「新人多磨練，別那麼計較。」

退伍後志祥到了一家知名科技廠當工程師，應該是頂著大學校名的光環吧，讓他很快的就收到聘書。另一方面，雖有AUTOCAD專長的富田，因大公司都要名校畢業的學生，只有私立五專的學歷讓他求職過程不是很順利。

不過最後還是有找到一家小公司願意讓他試試看。倆人在工作後的一次聚會上，富田提到：

「為什麼大公司都要找名校畢業的？不懂耶。」

「可能新鮮人沒什麼資歷可以看，所以只能先用學校判別吧？」志祥回。

「是嗎？」

「就當先練練功嘍。」

「薪水真的好少，才二萬六，扣一扣實領二萬三。唉…台北市的房子我真的租不起，所以只能要到外縣市找雅房…你知道嗎？四坪這麼小的一間也要七千五而且不含水電，好扯…我算了一下，扣掉油錢、三餐、生活雜費等，真的存不到什麼錢。」富田嘆氣的說。

「沒關係啦，新鮮人都這樣，熬出頭就會加薪啦！」志祥鼓勵富田後心想：「在台灣除非是大公司，不然像富田這樣的小公司，給新鮮人的薪資都不是很好而且小公司一個人要做很多事情，不像大公司分工分那麼細。不過以另一角度來看，待小公司可能真的會進步神速吧。」

說到信傑，富田有提到信傑曾打電話給他，也得知信傑目前在房仲業上班。也是啦，他家開建設公司的，做相關的工作也很合理。富田說那次信傑打電話給他是問說要不要來參加一個活動，內容是他香港朋友要來台灣玩，想找幾個妹和男生在遊艇上開趴，人到就好，費用是完全由他那位朋友出，不過重點是要很敢玩。每天狂加班的富田差點受不了誘惑想要參加，不過後來想想，如果到時候這聚會都是抽大麻、吸毒、或者搞什麼性愛遊戲的話，被抓到警察局就完全不值得了。志祥想想，富田真是做了個明確的決定，他說：

「不同世界的人，還是盡量保持距離好了。」

在科技業的工作的志祥作息就是早出晚歸且責任制，工作沒做到一個段落是不敢走的。新人時期老鳥欺負菜鳥都會打著「新人多磨練」的藉口，把一些雜事留給志祥，導致志祥都很晚下班。他心想：

「該拒絕嗎？自己的案子都快做不完了還要幫前輩寫一些小程式。」

「我不信他們不會寫，真的是讓我多磨練嗎？」

「算了，或許新人真的需要操一下。好吧！賺個加班費也不錯。」

經過一個月的某天早上，主管找了志祥談談：

「志祥，我看了一下你這個月的加班時數還滿多的耶，幸苦了！」主管說

「不會啦…」

「那個…因為你的時數有點超過勞基法，加班的部份沒辦法照實報哦…」

「喔…那可以報多少？」志祥問。

「因為你時數有點多…我看比較合理的時數是…嗯…這個月應該是 20 小時。」

「可是這個月我應該有加到快 60 小時吧？」志祥傻眼回說。

「我知道，只是我看你的案子難度應該是不需要這樣加才對，而且新人這樣報出去會有問題，懂嗎？」主管表情突然嚴肅了起來看著志祥。

此刻志祥心想，主管是不是暗示自己能力不足才要這樣加班？可是主管不知道是前輩們丟的一些雜事造成的，如果說了感覺像是打小報告，想了想還是算了，志祥回：「我知道了，就 20 小時吧…」

「嗯…新人多磨練，別那麼計較，我知道你很認真，我很看好你。沒事了，加油吧。」

「謝謝主管。」

就這樣當社畜日復一日的把時間奉獻給公司，有人說「科技業就是拿時間、肝來換錢的」這句話一點都沒錯。

三年後，志祥在社群網站常常看到富田 PO 出負面的文章，罵政府、罵老闆、罵社會的不公。透過聊天才發現到富田在原公司也待了三年，看老闆換了一台保時捷才確定公司一定有賺錢，但三年了，他薪質只多了三千塊。因為責任制的關係，常常加班到八、九點重點是沒有加班費，最後他受不了就離職了。離開後富田也面試了很多家公司，最終去到一家願意給他底薪三萬的公司，不過也是責任制且沒加班費。志祥不禁心嘆：

「資本主義的社會就是這麼可悲，賺的飽飽的永遠都是老闆，員工們僅能一再的被壓榨，反正受不了的就會離開，等著另一批新人上勾。」

「難怪富田思想越來越負面，我看我也差不多了。」

志祥看了一下富田文章的留言，發現信傑最近開了一家PUB，留言說到，如果富田心情不好可以去他那喝酒。志祥點去信傑開的那家PUB官網發現還有被新聞採訪過，標題是「7年級生創業有成月入百萬業績」，此時志祥心想，這是多麼諷刺的對比。

「如果能像信傑家這樣有多好，勇敢去創業，天塌下來有家人頂，失敗了再幫你找工作。如果能搞出名堂，再找媒體幫你歌頌你有多麼的努力，有錢人家出生就是這麼的不公平。」

憤恨不平地的志祥在那篇新聞底下留言說：

「可笑！請問創業基金從哪來？還不是靠父母給的！幸運的精子就是比一般人贏

在起跑點。你們有錢人的小孩開跑車往前衝，我窮人家的小孩只能拉著牛車載著體弱多病的父母龜步前進，全都靠自己？笑死人！」

忌妒是因為別人有你沒有的東西，留了這一段話的志祥心裏開始惡化了。

新鮮人的第一份薪水，有些人選擇交給家人或者請吃大餐來表示對父母的養育之恩。志祥知道媽媽喜歡看韓劇，想了想決定帶從未出國的母親與自己到韓國遊玩。至於父親，他表示：「從不想努力賺錢、讓家人過好生活的人，我連飯也不想請。」

半年後志祥挑了最便宜的旅團，團費低當然購物行程也比較多。同團中消費能力比較的好的婆婆媽媽導遊都會特別禮遇，沒有多餘旅費的志祥倆人，因為只買了幾包泡菜被導遊虧說：「出來玩，別那麼省。」這句話讓志祥感到很不舒服。

同桌吃飯時一直聽到團員們述說著自己去過哪個國家玩，媽媽顯得非常羨慕。團員得知他們是第一次出國後，有些人臉上露出那種「怎麼可能？」的表情令志祥非常厭惡，他心想：「是不是被看不起了？沒關係，等我賺多點錢，每年就帶媽媽出國玩，並且會帶足夠的旅費好好的大買特買！不想再讓人瞧不起了。」不過志祥沒想到這是他最後一次帶母親出國了。

辛苦一年最大的期待就是年終與分紅。分紅就是依個人績效來決定多寡，公佈紅利的那天志祥拿到一個月的獎金，他默默回想這三年共拿了0.5、1.5、1個月的獎金，在每個公司來說績效都算是個人隱私，所以他也不知道自己領的多不多。當天在茶水間倒水時，偶然看到兩個同事在討論分紅，其中一位同事手比了「6」這個數字，另一位同事點了點頭說「嗯…我也是差不多這樣。」這一刻志祥楞住了，心想：

「這兩位都跟我差不多時期進來的，為什麼可以領那麼多？我們明明都是做同一個大案子的成員，為什麼？」志祥越想越生氣，決定去找主管問個清楚。

「嗯？志祥，有什麼事嗎？」主管問。

「我想請問一下有關分紅的標準是怎麼訂定的？」志祥問。

「你這個問題不是很恰當耶，但我可以了解你為什麼會這樣問。」主管接著說：「我跟你說實話吧，你知道你的職位和義守不一樣吧。」

「我知道。」志祥回。

「你們倆雖然是同時間進來、同個學校畢業，能力也差不多，不過他是碩士畢業掛的職等比你高，在公司政策上你能拿的(分紅)最多就2個月。」

「就少個碩士學位，起薪比人低一萬也就算了，連拿個分紅也有上限？」志祥很生氣的說。

「沒辦法，政策上就是這樣，你想繼續在這待的話，你最好去唸個在職專班把碩士這個學歷補起來，不然在這混個十年，你也不可能有碩士剛進來的等數。」

「蛤？」志祥非常驚訝。

「嗯…你可以的，下班利用時間多唸點書充實自己，我去開會，你想想看吧。」

主管拍拍志祥肩膀後就離開了。

「嗯…」志祥回到座位上心想：

「怎麼可能下班還讀書？下班都 8~9 點累到像條狗，我是不用睡覺嗎？我不能有自己生活嗎？為了這份工作，我都很少在打籃球了，現在胖得跟豬一樣，怎麼認識女生？ 利用假日？那我豈不是不能回家看看媽媽和她講講話了？假日留在這裡可以講話的對象只有早餐店、便當店的老闆而已。雖然說同事們有時還是會揪吃飯，但那都是多餘的開銷啊！他們底薪比我多、分紅也拿比我多，對他們來說根本是小錢而已吧，我不一樣啊，像我這樣沒什麼資產、存款的父母，我每個月還要匯孝親費錢回去，你們就自己賺自己花爽爽，真的很不甘心！」突然同事們走了過來，義守拍著志祥肩膀說：

「志祥發什麼呆啊？要不要去吃飯？」

「你們去吃吧。」志祥冷冷的回答。

「哦…怎麼啦？」

「沒有啊？想休息一下。」

「好吧…」

同事離開後，志祥默唸著：

「我…還是自己去吃好了，跟你們出去每次選的餐廳都要百元起跳，貴死了，領得比你們少那麼多，我吃不起！我自己買個便當吃就好！」

「我可憐嘛，我要不是生於這種窮人家庭，我說不定就可以好好唸書不用半工半讀了，做得沒比別人少，領的確沒別人多，未來跟同事差距只會越來越大，人生就是那麼不公平！好像怎麼努力都沒用，出生輸就是輸了人生。」

這件事過後，憤恨不平的志祥工作變得被動不積極，勞績法規定的加班時數滿了就開始拒絕加班，因為他不想再被剝削做沒有薪水的奉獻，中午也默默自己吃飯，變得孤僻、難親近，除非有工作上的需要他也不主動跟同事談天說笑。察覺有異樣的主管有天就找了志祥聊聊：

「志祥，最近家裡有什麼事嗎？感覺你變得沒什麼動力。」主管問。

「嗯…就覺得好像做到死，人生就是這樣了。」

「呃…我是不知道你遇到什麼事，但我覺得你不該把情緒帶到公司來。」主管皺了眉頭說。

「我會這樣是公司造成的！」志祥很生氣的回。

「蛤？什麼意思，我聽不懂？」

「剝削員工、制度不公啊！」

「嗯…公司制度的問題，我可以告訴你連我都沒辦法改變。工作不就是為了賺錢？如果你是在薪水方面覺得不平衡，我鼓勵你去進修唸個碩士學位，工作上我再來調整。」

「好！我想清楚了。我決定做到這月底，利用一年的時間準備考試。我不想讀在職專班在那拖時間，而且學分費又貴，要讀就讀正規班。」志祥立馬做了決定告訴主管。

「呃…我是覺得你可以不用那麼快決定，你再想想。」主管愣了一下。

「不用了，謝謝主管，我就做到月底。」志祥眼神很堅定的說。

「喔…你都這樣說了，那我會跟經理報告一下，不過你再想想看吧，別那麼快做決定。」

最後志祥還是決定離職，他想利用一年的時間和這三年的積蓄全力衝刺碩士班考試，不過這個決定卻是他思想漸漸走向惡化的開端。

## 輕視

## 「有錢人的分享，在窮人眼中就是炫耀或者貶低你。」

離職後的志祥立刻報了碩士補習班，必竟離開學生時期也三年了，重拾書本且不到一年的時間確實很緊湊，他規劃好之後的讀書計劃，每天的行程就是七點起床-->八點圖書館報到-->六點補習班上課-->九點回家。如此單調無趣的生活就這樣經過三個月了，這段日子志祥遇見讓他窮傷痕再次復發的女生「郁雯」。

每日圖書館開門前都有個女生比志祥早到，在排隊等入館的這個女生就是「郁雯」，她總是穿著一件灰色帽T和牛仔褲看起來很文靜。有一天開館的時間到了，但管理員還沒來開門，恰巧排在郁雯後面的志祥問說：

「今天好晚哦，都八點多了還沒來開門。」

「嗯，遲到了。」郁雯說。

「看妳也每天來報到，妳在準備什麼考試啊？」

「我在準備公職，你呢？」

「研究所。」

「嗯…？」郁雯疑惑的眼神。

「哈哈，是不是年紀看起來有點老？我是因為工作三年後才發現需要這個學歷，想拼個半年看看考不考的上。」

「喔…」郁雯點點頭。

「那妳考什麼類組呢？」

「行政類的。」

「行政類啊…很競爭耶！」

「是啊，所以我考了兩年，今年是最後一次機會了。」

「呃…不會啦，今年妳一定會考上的！」

「謝謝。」

「人(員工)來了，準備搶位置嘍。」

「嗯嗯。」

從此之後倆人在開館閉館、休息時間等有遇到都會閒聊個幾句。有一天志祥問說：

「今天中午不知道吃什麼呢？附近的都吃膩了。妳知道附近有什麼好吃的嗎？介紹一下。」

「我很少在外面吃耶，家裡都有煮。不過我知道附近有家牛肉麵還不錯！」

「是喔，在哪裡？」

「在中山路上，叫皇家牛肉麵。」

「哦~不然明天妳帶路，我請客，我們一起去吃。」

「嗯，好啊，我帶路，不過為什麼要你請客？」

「算帶路費吧，哈哈。」

「不用了，這樣我就不去嘍。」

「那就各付各的吧，就這樣，明天中午。」

「好。」

隔日如往常一般郁雯八點前就在圖書館門口排隊，這次有點不同的是她沒有穿那件灰色的帽T、臉上多了點淡妝。志祥察覺後說：

「妳今天看起來不一樣哦，穿這樣很好看。」

「幹嘛？我不能穿這樣嘛！」郁雯露出了害羞的表情。

「當然可以啊。」志祥笑了笑。

當天吃完中餐，倆人就乖乖回到圖書館繼續k書，他們都瞭解到目前的首要目標就是考試，對於考生來說時間是非常寶貴的。經過這次倆人的感情越來越熱絡，彼此就像是各自的精神支住。因為擁有同樣的目標，倆人都會互相監督對方有沒有偷懶，休息時間也會一起約到附近公園走走、聊天，可說是友達以上戀人未滿。

五個月過去郁雯考完試了，在等待放榜的這段時間她很緊張和憂鬱，因為這是她最後一次給自己的機會，沒什麼專長的她害怕沒考上，這三年的時間就這樣浪費掉了。她很徬徨，如果沒上不知道未來能找到什麼工作。志祥感受到郁雯的害怕，特別花了很多時間陪她到處走走散心、看看電影、爬山等，都希望她能放鬆心情來度過這段煎熬的等待。有天晚上郁雯問志祥說：

「如果你之後考上碩士，你是不是就沒辦法這樣一直陪著我了？」

「看我考到哪吧，不在新竹的話，我還是會常常來找妳啊！」

「這樣說有點自私，可是我想你一直在身邊陪著我…」

「我也是啊，不過等我唸完兩年碩士、找到工作、到時候妳也是公務員，我們倆個經濟狀況都很穩定的話就可以慢慢規劃一下未來。」

「嗯…可是我真的很怕我沒上，你會不會就這樣離開我了？」

「你會上的，而且我也不會因為妳沒上就離開你吧。」

「沒考到又找不到工作的話，就會變個廢人吧？」

「不要再這麼想了，不管有沒有上，妳一定都可以找到一份想要的做的事。」志祥抱了郁雯。

「我好害怕，真的好害怕。」郁雯哭了起來。

「不管結果如何，我都會陪著妳的。」

放榜當天郁雯如願以償考上了普考，她非常開心的請志祥來家裡吃飯慶祝。在郁雯家餐桌上，她一直分享辛苦的國考之路和認識志祥的過程給她媽媽聽，連碗筷都沒什麼動，可見她真的很開心。分享完後郁雯媽媽隨口問志祥說：

「志祥，為什麼你想拼研究所啊？怎麼不直接考公職呢？」

「工作後才發現，在科技業滿需要碩士這個學歷的。有這個學歷在薪水和未來發展上會比較好。」

「喔…可是現在碩士不是滿街跑嗎？新聞都說碩士起薪三萬多而已。」

「沒有啦，要看科系，在竹科碩士都有四萬起跳。」

「喔…公家機關待個幾年後也差不多吧。」媽媽問郁雯。

「嗯該有吧？」郁雯答。

「嗯，工作穩定最重要。」媽媽接著問：

「新聞都說科技業分紅沒有以前多而且一樣常加班到很晚吧？」

「是啊，之前待的公司如果有案子要趕，每天都會加到9、10點才回家」志祥回。

「好辛苦哦。如果沒考上碩士你還願意回原公司嗎？」媽媽再問。

「不一定耶…」志祥回。

「不用擔心啦，郭董也沒有碩士啊，還不是賺那麼多錢。」

「呵呵，對啊。」志祥尷尬的笑。

「志祥，你哪裡人呢？」媽媽接著又問。

「南投人。」

「好山好水，爸媽也在南投工作嗎？」

「媽，你一直問幹嘛啦？」郁雯說。

「沒關係啦，我爸媽都在南投，他們是在菜市場賣衣服的。」

「是喔…感覺辛苦耶。」

「還好啦。」

「嗯嗯…郁雯能考到公職，我跟她爸爸都好開心，可以有個穩定的工作。人生就是這樣，工作穩定後就可以開始考慮成家，唉，我煩腦我大兒子啊(郁雯大哥)，都說當醫生很忙沒時間交女朋友。郁雯姐姐明年就要結婚了，倆個人都很穩定，一個在會計事務所另一個在銀行，我比較不擔心，我擔心的是我小兒子(郁雯二哥)正在創業，也說沒時間交女朋友。」郁雯媽媽說。

「媽，妳放心啦，俊昌他公司業績還算不錯吧。」郁雯說。

「創業都有風險啊，不過做自己喜歡的還是最重要，家裡能出的都出了，看他自己造化了。」郁雯媽媽說。

「工作還是做自己喜歡的最重要。」志祥回答。

「嗯，志祥，等你考上再來我們家，幫你慶祝。」郁雯媽媽說

「謝謝阿姨，我會努力的。」

「不要有壓力，現在碩士應該很好考，不像高普考那樣競爭，放寬心就好。」

「嗯嗯…」聽了這段話後，志祥尷尬的點點頭。

離開郁雯家後，志祥對於她媽媽的問答不是那麼舒服，有點被輕視的感覺，他心想：

「為什麼要一直貶低碩士？把這個學歷說得一言不值，是因為他家沒有人讀碩士嗎？為什麼會這樣講話？還特別舉例自己小孩的成就，是在炫耀嗎？唉，也許吧，爸爸是醫生、媽媽是老師，這樣的家庭收入有造就出好的子女，當然要拿出來炫耀一下吧。現在我終於明白為什麼郁雯可以毫無顧慮的拼三年國考了。二哥有資金能創業，做自己想做的事，我家什麼都不能給我，我還每月匯錢回去，又是一個階級複製的家庭。問那麼多，為什麼知道我爸媽在菜市場賣衣服後不再繼續問下去呢？正常人都會問是賣童裝、女裝、還是男裝吧？哈哈，她應該對這種低端行業沒興趣吧，好險有美化我爸說他在跟我媽一起賣衣服，如果實話實說他從我小學時就沒工作，不就更被瞧不起，哼！」

這餐的飯後閒聊，讓志祥心裡產生了陰影，再一次的把他的窮傷痕給抓了出來。他內心明白自己生長家庭和郁雯家，在社會地位上是完全不同的。他害怕未來會不會因為這個原因不能夠和郁雯繼續走在一起？他問郁雯：

「妳媽會不會覺得我這年紀了，還要繼續唸書，跟你家人比起來，是不是很廢？」

「沒有啦，你不要亂想，她只是分享而已。」

「是嗎？…」

「是啊，單純分享而已，沒有特別意思。」

「嗯…」此刻志祥心想：

「原來有錢人的分享，在窮人眼中就是炫耀或者貶低你。」

## 忌妒

## 「沒錢養小孩就不要生！」

隔年四月，志祥碩士班考試都結束了，等待放榜的這段期間，志祥找了份臨時工賺點生活費，但他還是會每天載郁雯上下班，假日時就來個小約會或出遊，這段日子是他們最甜蜜的時期。放榜後志祥只考上了南部的碩士班，雖然倆人之後會相隔兩地，但郁雯還是很替他開心。她訂了一家餐廳想幫志祥慶祝，也順便邀請她家人一起參加。出發前當天一起先到郁雯家會合，這也是志祥第一次見到郁雯的哥哥姐姐。

「爸等下會開車載俊昌和郁芯，那你們要怎麼去啊？」郁雯大哥問。

「志祥會騎車載我。」郁雯說。

「騎機車嗎？我載你們一起去就好了，還滿遠的。」

「可以啊！」郁雯與志祥回。

接著郁雯和志祥就坐著她大哥的車一起前往，果然醫生都是高薪族群，哥哥開賓士小房車，同是醫生的郁雯爸爸開的是另一台 BMW 休旅車。這一幕讓志祥回想到阿奇，同樣是活生生階級複製的例子，但反差卻是如此的大。吃飯聊天時郁雯提到，目前每天都是志祥幫忙接送上下班，這時候郁雯媽媽說：

「騎機車還滿危險的耶，上下班車流量那麼大，志祥你有駕照嗎？」

「我還沒考耶⋯⋯」志祥回。

「蛤？」大家驚訝的表情。

「因為我家沒有車，考到也沒車開，想說工作穩定後再來考。」志祥笑笑回。

「喔…」郁雯家一臉不可思議，這又讓志祥又回憶起和媽媽出國那段被羞辱的表情，心情立馬沉到谷底。

「我駕照考好幾年了，我也沒車開啊，哈哈…」郁雯笑笑的回答化解了這尷尬。

「嗯，爸爸，不然這假日來去看車好嗎？開車比較安全。」郁雯媽媽說。

「不用了吧，她公司沒很遠啊？」郁雯爸爸回。

「我沒意見，媽你要幫我出嗎？哈哈。」郁雯問。

「出一半，剩下你自己貸款。」郁雯媽媽說。

「蛤…」郁雯失望的表情。

「有工作可以自己繳錢了吧，妳姐最近那房子我也只幫忙繳頭期，剩下的她也自己貸啊。」

「cue 我幹嘛？」郁雯姐姐說。

「妳跟未來姐夫收入都那麼好，負擔的起吧…我小小公務員耶。」郁雯說。

「沒有很多好嘛…」郁雯姐姐回。

「現在房價那麼貴，我住家裡就好，吃住靠媽媽，哈哈。」郁雯說。

「知道住家裡的好了吧，妳自己搬到外面住看看就知道。」媽媽說。

「不過結婚還是要有自己一棟的房子才像個家啊，雖然說現在房價貴，但現在不買以後會更高。」

「我有錢也不想買房啊，繳房貸後的生活有品質嗎？」郁雯大哥此時插話。

「我也是。」郁雯二哥點點頭。

「唉唉，你們年輕人怎麼都這樣啊。」郁雯媽媽說。

「妳能說服未來姐夫貸一千萬買房子，然候名字是姐的，我是覺得你滿厲害的啦……」郁雯二哥跟媽媽說。

「頭期款我出的耶，而且房子是女生名下才有保障啊！」郁雯媽媽說。

「哦？那我們家能給未來姐夫什麼保障？」郁雯二哥反問。

「女生很辛苦耶，除了生小孩，下班後回家還要煮飯、做家事，帶你們四個很累耶，你知不道？」郁雯媽媽說。

「我是問我們家能給未來姐夫什麼保障？不要扯到妳自己，如果我結婚後對方也要求我房子登記給女方，妳肯嗎？」郁雯二哥說。

「怎麼這樣跟媽媽說話呢？你跟你哥現在住的地方小家庭就夠用了啊，媽媽也不會收你們房租，夫妻同心協心努力點存錢，買大一點的房子，不都這樣嗎？」

「你們很奇怪耶？今天是來幫志祥慶祝的，講這個幹嘛？來，志祥說說你未來碩班想做哪方面的研究？我們家都沒有工科畢業的，這方面不是很懂，來，分享一下吧。」郁雯爸爸說。

「喔…就是……」接著志祥就開始分享他未來想做的研究領域，也結束了這段房子的話題。聽到這段對話，志祥心想：

「生在有錢人家的小孩真好，房子和錢都準備好了。我家到現在還是租房子，媽媽賺得少以前買不起，現在更買不起了。如果我跟郁雯未來要結婚，是不是她家人也會要求我買房呢？我買得起嗎？天啊！頭期款要存多久？房貸要繳多久？我不用養我媽媽？她這麼辛苦，搞到自己都沒房沒資產，多麼可憐。所以說賺的少是不是最好不要生小孩呢？要生至少要像郁雯她們家一樣，沒有需要養父母的負擔，自己賺的錢自己花爽爽。唉，好累哦，想到就好累…」

「果然，沒錢養就不要生，不能給小孩好生活、好環境就不要生！」

## 背叛

### 「未來對象家境不能太差，不然會很辛苦。」

日子漸漸步入軌道，志祥在台南讀研究所、郁雯在新竹當公務員。遠距離戀情是很辛苦的，平日倆人只能透過社群軟體聊聊天。每到假日志祥都會到新竹找郁雯來個小約會或者回老家看看媽媽，就這樣過了半年，志祥漸漸發現郁雯在聊天時的回覆都越來越晚，經常跟同事出去聚餐或者聊天，假日偶而也會跟志祥說：

「這星期我要和同事出去玩，你就直接回南投吧。」

一開始志祥不以為意，但與同事出遊、吃飯的次數漸漸變多，彼此見面的次數越來越少，志祥發現郁雯對他的態度也變得冷漠。某次假日郁雯說要跟同事去宜蘭玩，志祥只好坐車回南投老家。回家時看到郁雯在社群媒體上PO出了一張美美的風景人物照，志祥看到後留言：「我婆好漂亮哦！」。接著郁雯晚上又PO出了一張美食人物照，打卡的地點是當地知名的五星級飯店。志祥看到後留言：「感覺好好吃，看了我都餓了。」過不久志祥發現怎麼郁雯都沒有回覆他的留言，志祥再次瀏覽後發現，他兩次的留言都被刪掉了，難怪都不會看到回覆的訊息。志祥得知後很疑惑，私下在

LINE問郁雯，但郁雯都已讀不回。志祥越想越不對，心想：

「怎麼了？她為什麼都不回呢？她是跟誰出去？現在才發現她PO的照片感覺很像是跟別的男生約會一樣，難到我被劈腿了？不行我要打電話問清楚。」

接著志祥打了三通電話給郁雯，不過她都沒接，最後一次打過去後她的電話就關機了。志祥整晚睡不著，心裡愈想愈難過，一直到隔天早上郁雯自己打了通電話給志祥：

「喂？妳怎麼都不接電話？怎麼了嗎？」志祥問。

「我們…分手吧。」郁雯說。

「你是不是跟別的男生在一起？」

「嗯…」

「是誰？什麼時候開始的？」

「我媽介紹的，大約一個多月前吧。」

「為什麼她要幫妳介紹？」

「因為我媽說，未來對象家境不能太差，不然我會很辛苦。」

「他家境是有多好？」

「目前只知道他家是開公司的。」

「嗯．你就不能多等我兩年嗎？未來在科技業薪水應該不錯，一定比妳多很多，我們就不能一起努力嗎？」

「太久了…」接著倆人在電話沉默了一分鐘，最後志祥開口說：

「嗯，就這樣吧，祝妳幸福。」

「嗯，我也祝你能順利畢業，找到好工作。」

「嗯。」

這段戀情就這樣結束了，也許是志祥早瞭解到自己家與郁雯家在社會地位上的差距，不同世界的人在一起，是不可能的，所以他也沒特別難過，只是感到憤恨不平。

「沒錯，這世界就是這麼不公平，誰也沒辦法選擇自己出生的家庭，是吧，但未來我可以靠我自己，加油！林志祥。」

**崩潰**

**「三年的積蓄與一年的努力到頭來一場空。」**

女朋友離開了但碩士生活還是要繼續前進。在名校課業壓力與指導教授的究研進度下，志祥也是非常忙碌的。平日上課回宿舍做作業、假日也要到實驗室裡研究，這兩件事占了志祥大部份的時間，簡值比之前上班還累，何況研究生的薪水一個月也只有五、六千塊，就當志祥的積蓄快要花光的時候，突如期來的一通電話，讓志祥面臨崩潰。

「志祥，快點回來，你媽現在在醫院。」志祥爸爸說。

「怎麼了？」志祥很緊張的回。

「不知道，她回家後就忽然昏倒了，你快回來。」

志祥匆匆忙忙的請了假回到南投，到醫院後看著媽媽躺在病床上，眼眶泛著淚問爸爸說：

「醫生有說她為什麼會這樣嗎？」

「醫生說她太勞累了，肝功能異常。」爸爸說。

「太勞累？全都是因為你不工作造成的！」志祥很生氣的說。

「我現在這把年紀能找什麼工作？」

「沒有什麼工作是找不到的！是你想不想做而已！為什麼媽媽要養你這個廢物

啊！」志祥大罵。

「先生，醫院請保持安靜！」一位護理師看到後說。

「錢，我會想辦法。」志祥爸爸嘆了口氣後走了出去。

出院兩、三天後志祥媽媽為了家計，堅持要去市場擺攤，志祥百般阻饒，最後志祥爸爸自動說願意幫忙去布置攤位、顧攤位後，志祥才願意妥協，從此後志祥爸爸不再是一早就到公園找人下棋，而是幫忙媽媽一起去市場擺攤。看著媽媽這樣每天帶著沉重的身體出門，志祥心裡特別難過，心想：

「媽媽是因為家裡的經濟壓力才會生病的，我還要繼續唸書嗎？」

此時因為請了一個禮拜事假的志祥接到指導教授的電話：

「志祥，你媽媽還好嗎？」教授問。

「已經出院了，謝謝教授關心。」

「喔，是這樣啦，如果沒事的話，我希望你能快點回來，因為期末要到了，進度有點趕，你 ok 嗎？」

「教授，我覺得我沒辦法繼續讀了，家裡可能需要我出去賺錢⋯⋯」

「蛤？我跟你說，你有困難的話，回來我們好好的談一下，我可以多找些案子給你接，必竟你有工作經驗。」

「教授，多接幾個案子也不能像業界領同樣的薪水吧。」

「是沒錯啦，不過你先回來做完這個案子再說，好嗎？」

回到學校後，志祥完全是心不在焉。他進度趕不出來、課堂的作業也交不出來、期末考也考很差，導致他這學期休的學分有 2/3 被當掉。教授很生氣的跑來實驗室大罵：

「林志祥，你怎麼搞的？我這個案子月底就要交了，你要讓我開天窗是不是？」

志祥此時面無表情，眼神不敢直視教授。

「說話啊！啞巴啊？你不想做、不想讀早點說嘛！早點辦休學啊！你是存心要搞我是不是？」

「好，我下學期就不唸了！」此時志祥眼睛怒瞪著教授。

「瞪屁啊？想要打我是不是？說不唸就不唸，媽的你們七年級生都這樣爛草莓嘛，滾出我實驗室！」

志祥非常悲憤的回到學生宿舍，立馬整理打包搭車回家。回程的路上想想，這四年都白費了。女友跟人跑、媽媽生病、碩士也不讀了，三年的積蓄與一年的努力到頭來一場空。

回到家後，他開了電腦，看著社群網站的動態發呆，神情顯得特別落寞。他看了幾則個人動態：

「謝謝男友送的 iphone 4！」郁雯 po 了一張 I phone 手機加人物照。

「I phone 啊，真好，我到現在都還沒有智慧型手機呢。在學校看學生都人手一支，大家都好有錢哦，誰能買給我呢？」志祥說。

「當老闆又當包租公，信傑你財富自由啦！」看到富田在信傑的動態下留言。

「買了第二間房子啊？真好，我買不起，永遠買不起。」志祥說。

「林書豪絕殺暴龍！太帥了！他出鞋我一定買！」哲軒動態。

「想一想，我好久沒打球了耶，現在也沒錢買球鞋了。」

「我絕對不再買這家牛仔褲了！洗沒幾次就褪色！」阿智態動。

「褪色我還不是繼續穿，不穿給我穿啊，我還真沒買過那麼貴的褲子⋯⋯」

「要不到零用錢！知名成衣廠老闆遭小孩痛扁。」新聞動態。

「要不到錢就打父母，現在小孩是怎樣？我以前要東西還會被打呢⋯⋯」

「能想到送高麗菜真的很有梗！」文彥動態。

「交換禮物啊，原來送高麗菜比酒廠的酒更有價值就是了。」

「俠盜快車手2，明年預計發行。」電視遊樂器廣告。

「目前看來我退休一直玩電動的這項計劃，好像越來越遠了。」

「拍版定案，明年 1/1 日起調整最低薪資，新鮮人起薪 26K up。」新聞動態。

「扣一扣還不是只有 22K，跟四年前有差很多嗎？珍奶一杯都 50 了。」

「全台銷售破千台！lusgen u6 79 萬元起。」廣告。

「國產的都要那麼貴，買不起。」

「房價再創歷史新高，新鮮人需不吃不喝 30 年！」新聞動態。

「都是有錢人賺錢的遊戲，才會炒的那麼高不是嗎？政府有認真在管嗎？跟我一樣出生的人，一輩子也買不起吧。」

「福島 311 核災滿周年，超過 47 萬人被迫離開。」新聞動態。

「日本那麼細心的民族連核電廠都會暴炸了，你們覺得台灣核電廠可靠嗎？」留言 1（按讚 231）。

「支持反核！核電廠太恐怖了！」留言 2（按讚 45）。

「如果台灣發生核災會讓台北房價降一半吧！貴死了誰買的起啊！」留言 3（按讚 124）。

「車諾比事件都 20 幾年了，方圓百里像死城一樣沒人敢住，台灣那麼小一出事大家沒得逃！」留言 4（按讚 68）。

「台北有錢人會那麼多都是靠炒房的，一但發生核災資產馬上歸零。」留言 5（按讚 77）。

「101 年國營事業招考，台電、中油、台水等共 1200 名年終上看 4.4 個月！」廣告動態。

**一年後……**

「喂~富田，我志祥啦，最近過得怎樣啊?你還在台北嗎？」

「一樣忙啊，你呢？畢業了嗎？」富田問。

「我不唸了耶…」

「蛤？為什麼？」

「工作啊，我媽身體不好沒辦法繼續供我唸書啦，家裡需要我幫忙賺錢。」

「蛤…好可惜哦，那你現在在哪工作？」

「核電廠啊！」

「感覺很恐怖耶，有沒有輻射啊？」

「當然有啊！」

「會不會爆炸啊？…」

「你覺得呢？唉，很久沒見面了，有沒有空?出來吃飯啊。」

「好啊，這星期六？」

「ok！約哪裡你方便？」

「嗯…那星期六晚上饒合夜市？」
「好啊，很久沒逛夜市了，七點？」
「ok，到時候見嘍！」

第一部 完結。

作者的話：
以下是第二部作品「樂觀的窮小子」，故事內容是延續第一部的劇情，主角是志祥的弟弟「志豪」，描述有同樣出生背景的弟弟志豪，面對貧窮卻有不同的人生態度與遭遇。

第二部

# 樂觀的窮小子

**「不跟比你富有的人比較，貶低自己的價值；試著看看比你更窮困的人，會發現其實你過的很好。」**

在偵訊室裡檢察官仔細看著手上的資料，準備磨刀霍霍的盤問坐在他對面的男子，也就是志祥的弟弟，林志豪。

「你哥 2013 年進核電廠當技師，你 2016 年進來當保安人員。嗯嗯…我合理懷疑你們早有計劃幹這件事對吧？」檢察官問。

「我完全不知道他為什麼會這麼做…」志豪面無表情的回應。

「在裝嘛！你掌控廠內各廠房的備用鑰匙，況且當天你值班，鑰匙不是你拿給他，他怎麼會有？你說你不知道？鬼才相信啊！」檢察官非常憤怒。

「如果知道他會做這種傻事，我早就阻止他了。」志豪感到懊惱。

「好啊，你們兄弟倆都不說清楚，不知道這件事的嚴重性。接下來幾天，各家新聞媒體一定每天去煩你家人，社會輿論的壓力你父母承受住了嗎？」

「拜託不要這樣…我真的不知道…」志豪很難過的說。

「當天到底發生什麼事，你一五一十的告訴我，我保證不讓你家人接受媒體採訪，我也會派出警力保護他們安全，好嗎？」

志豪沉默了幾秒後回：

「我記得我哥最後一句跟我說的話是……」

「蛤？說什麼？講出來啊！」檢察官問。

此時志豪苦笑著說：

「他說：志豪，你總是這麼樂觀，我好羨慕。」

# 肆、樂觀

## 「一個分享給你，我才會覺得我過得很好。」

### 流浪漢

2016 年的那個夏天，志豪有份新工作。首次踏上台北生活的志豪，某天與他的女朋友佩佩步行在公館商圈，剛吃完飯的小倆口走在街上，看到一家在賣車輪餅的小店面，門前排了好多人，這時候志豪開口說：

「這家我哥說好吃耶，難怪那麼多人，想買來吃看看，你要吃嗎？」志豪問。

「不要，我吃不下了。呃…這家店老闆鬍子留好長，看起來好像流浪漢。」佩佩說。

「我哥說他唸書的時候就長這樣了，應該是他的特色吧！哈哈。」

「老闆一個紅豆、一個奶油，分兩袋裝。」

志豪付完錢後拿其中一個車輪餅給佩佩。

「來，紅豆給你。」

「你很奇怪耶，你又不吃紅豆幹嘛每次都買？而且我不是說我吃不下了。」

「一個分享給你，我才會覺得我過得很好。」

「什麼啦？」佩佩覺得納悶的問。

「我小學的時候啊，沒什麼零用錢，看到同學都有錢買車輪餅其實滿羨慕的。有一天吃完早餐後媽媽給我 10 塊錢，當天放學立馬買了兩個。」

「哈哈，所以是紀念第一次買車輪餅的故事嗎？」

「算是吧。」

志豪唸小學時期，放學後都會和同學一起走路回家。回家路上有一家賣車輪餅的小攤販，車上掛著用牛皮紙手寫的招牌，上面寫著（紅豆、奶油、蘿蔔絲，一個五元）。

「阿伯！我要兩個奶油。」小凡同學說。

「那我要一個奶油和一個蘿蔔絲。」孟哲同學說。

「小朋友又放學啦！今天有沒有乖乖上課啊？」車輪餅阿伯問。

「當然……沒有阿！哈哈哈。」

「當學生就要乖乖唸書，才有前途。」

「阿伯，那你小時候有乖乖唸書嗎？」小凡同學問。

「阿伯小時候有飯可以吃就很好了，哪有機會上學。來~你的兩個奶油、然候這個是你的。」阿伯將兩位同學的車輪餅給了他們，這時候志豪開口說：

「呃…阿伯，我也要一個奶油、一個蘿蔔絲。」

「哇！黑鬼豪，你今天有錢可以買哦！」小凡驚訝的說。

「神奇耶，那你剛才怎麼不點呢？」孟哲問。

「今天早上剛拿到的阿，我還在想要不要買…」志豪回。

「錢就是拿來買零食和玩具的啊！」小凡說。

「對啊！龜龜毛毛耶你。」

「小朋友，蘿蔔要等哦，紅豆要不要？」阿伯問。

「呃…」志豪真心不喜歡紅豆。

「黑鬼豪我們要先走了啦！」小凡說。

「好啦，那就一個奶油、一個紅豆。喂！你們等等我啦！」志豪說。

「毛毛人！毛毛人！」同學們故意跑掉讓志豪追。

「你們看！是阿蘭耶！她又在翻垃圾桶了。」孟哲大喊。

阿蘭，是一個女性流浪漢，經常在學校附近徘徊著，身上總是掛著很多塑膠袋。這個名字是從以前就流傳下來的，實際上她叫什麼名字、背景，沒有人知道。

「阿蘭！阿蘭！阿蘭！」同學在那喊著。

「幹你娘機掰，叫啥小！」阿蘭轉頭大罵。

「啊~~快跑！~~」同學在那嘻笑著。

「哈哈哈，好恐怖哦！」孟哲說。

「哈哈，嚇死人，被追到就變臭臭人了。」小凡說。

「她是不是很餓啊？一直在翻垃圾桶。」志豪說。

「阿災，那是她的冰箱吧！哈哈哈。」

「你們先走吧，我還是不敢吃紅豆，我要回去跟阿伯換！」志豪說。

「黑鬼豪，你真的龜龜毛毛耶！」小凡說。

「對啊，不管你啦，先走了，掰掰。」孟哲說

「掰掰。」志豪說。

這時候志豪走回到還在翻垃圾桶的阿蘭後面，他不敢靠近，因為阿蘭身上的臭味實在讓人難以親近。

「嘿！這個給妳吃。」志豪拿著手上的紅豆餅。

此時阿蘭轉過頭來臉上表情顯得疑惑。

「妳餓了吧？我不喜歡紅豆，給妳吃。」志豪說。

接著阿蘭伸手拿了志豪手上那塊紅豆餅，臉上露出愉悅的表情，把整顆紅豆餅塞進了嘴巴。

「好了，我要走了，妳真的好臭哦，掰掰…」志豪說。

長大後志豪回想起這件事覺得非常有感觸，這世界上比他窮困的人還不少，自己有得吃有得住其實過得很好了。

工友阿伯

「犧牲奉獻完成你該做的事，就是一種責任。」

群英國小內的某處角落有一間鐵皮屋，在同學耳中流傳著，只要經過這裡就會聽到屋內傳來一陣哭泣聲與敲打聲。

三位天不怕地不怕的小學生，在某天放學途中特別繞去這間鐵皮屋，準備玩個大冒險。

「來這邊幹嘛啦？」志豪問道。

「探險啊！來玩點點名，點到的人去敲門。」小凡同學說著。

「好刺激哦！裡面有沒有住人啊？」孟哲同學說。

「看起來沒有吧⋯⋯」志豪遲疑的說。

「輸的進去就知道啦！點點名，點到誰，誰就進去敲敲門。」小凡用手指順時鐘點著三個人。

「哈哈哈！黑鬼豪！就是你啦！」小凡大笑講。

「哈哈，快去敲敲看有沒有人，打破校園鬼故事就靠你啦。」孟哲說。

「不要啦…很恐怖耶。」志豪說。

「不去不跟你好了哦…」小凡說。

「對啊！願賭服輸！」孟哲說。

「吼唷！你們很奇怪耶！」志豪心不甘情不願的走到鐵皮屋。

「(摳摳摳)，有人在嗎？」志豪敲門。

(摳摳摳) 志豪再敲了一次，依然沒有人回應。

此時小凡撿了一塊石頭往窗戶丟了過去。

「午狼 d 家某？麥呷覽趴某？」小凡說。

「哈哈哈，你好白痴哦。」孟哲說。

緊接著孟哲也學小凡丟了一塊石頭過去。

「午狼 d 家某？麥呷覽趴某？」孟哲說。

丟完鐵皮屋傳出一聲叫罵。

「幹！死囝仔！呷飽太閒哦！」

一聽到叫罵聲後三人立馬遠離十公尺，接著鐵皮屋的門開了。原來裡面住的是學校工友阿伯，看他表情可以感受到他很生氣，右手還拿著掃把，有股作勢要打人的模樣。

「啊~~哩丟是鬼啦！」小凡此時說著。

「公啥小啊！」工友阿伯拿著掃把衝向三人。

「快跑啊！~~~」志豪說著。

「都幾班呢？死囝仔，書都不知道讀到哪去了！」工友看到他們跑走後說。

「哈哈哈，好恐怖哦！差點被打死。」孟哲說。

「哈哈，原來有住人哦，所以鬼故事都是騙人的啦。」小凡說。

「唉！你們真的很白痴耶，我差點被你們害死…」志豪說。

「刺激吧！」小凡說。

「神經病！」志豪說。

隔天孟哲很自豪的跟班上同學說，他們昨天有去鐵皮屋大冒險，打破了這校園鬼故事。不過惡意的惡作劇是不被允許的，午休時間，訓導主任就來教室詢問：

「昨天，有人跑去工友屋子那邊丟石頭、罵髒話！誰是做的舉手！」訓導主任很兇的問。

此時教室內眾人不發一語，同學們你看我我看你，眼神轉到了志豪三個人的身上。

「你，站起來！」訓導主任看著志豪說。

志豪默默的起立，表情顯得愧疚。

「是不是你？」訓導主任問。

「嗯…」志豪點點頭。

「來，你跟我來。」訓導主任說。

接著訓導主任就帶著志豪往鐵皮屋反方向走去。

「疑？不是在這裡嗎？」主任說。

「報告主任，鐵皮屋在另一邊。」志豪說。

「蛤？是嗎？我跟你說，主任待會還有事，你就自己先去道歉，然候寫 1000 字的悔過書給你導師，知道嗎？」主任說。

「喔，好…」志豪點點頭。

志豪獨自一人走到了鐵皮屋門口，忐忑不安的敲了門。

「那ㄟ只有你？」工友開門後問。

「主任說他有事，要我先來道歉，對不起阿伯。」志豪點了頭說。

「有事？是看我沒嗎？哼！進來坐啦。」阿伯說。

鐵皮屋內非常的簡陋，一張摺疊床、小圓桌，還有約三人座的椅子與一台傳統小電視。志豪坐在椅子上不發一語看著電視，阿伯把桌上便當吃完後說：

「哩呷飽沒？」

「呷飽啊。」志豪說。

「你們不是有三個人，另外兩個呢？」阿伯說。

「在教室，我沒跟主任說有其它人。」志豪說。

「這麼有義氣。」阿伯說。

「嗯…」志豪點點頭。

「你們昨天遭來這衝啥？」阿伯問。

「同學都說這是間鬼屋，有時候經過會聽到有人在哭和敲打的聲音。」

「蛤？…靠妖啊！連我在嚎都有人聽到。」阿伯想了想說。

「阿伯，那你在哭什麼？」志豪問。

「那不是在哭，那是因為我腳很痛。」阿伯回。

「喔…阿伯你腳好黑哦，怎麼不去看醫生？」志豪說。

「阿丟糖尿病，沒錢啊，藥珍貴呢…」阿伯說。

「阿伯學校沒給你錢嗎？」志豪問。

「我在這 20 年了，薪水都沒變，才兩萬多，呷藥都不夠啊！學校都說什麼供我住而且水電還不用錢，就這樣一直壓著我的薪水，你說可不可惡？」阿伯說。

「喔…」志豪點點頭。

「學校大大小小的雜事都我在處理的耶，東西壞了，跟學校請個錢買工具都在那機機歪歪，最後覺得麻煩都自己花錢買，有誰知道？」

「腳再怎麼痛，一通電話來，我還不是照樣去處理。」

「這間學校歷屆校長、老師名字我都叫的出來，但沒有人記得住我的名字，只有東西要修理才會想到我啦，揹！」

「阿伯你好辛苦哦！」志豪說。

「沒事了啦，你回去吧，記得要好好唸書，不要跟阿伯一樣，一輩子待在這，沒出息，給人瞧不起。」阿伯揮手示意要志豪回去。

「嗯…阿伯掰掰，昨天對不起了。」志豪點點頭後離去。

回教室後志豪與小凡、孟哲一起幫忙抄寫「對不起，我不該罵髒話、丟石頭」直到 1000 字給導師，這件事也告一段落。

某次假日來了個強力颱風，把學校樹都吹倒了，滿地上都是樹葉。早晨掃地時宣布說挪出一小時要全校同學一起加強打掃、清理環境。志豪掃著掃著看到主任過來問導師說：

「這些倒下來的樹工友怎麼還沒處理掉呢？」

「我早上有打電話過去，沒人接耶。」導師說。

「過太爽了吧，我去找他！」主任說完往鐵皮屋的反方向去。

「主任！鐵皮屋在另一邊啦。」志豪看到後大喊。

「啊！對對對。」主任走了幾步後想了一下。

「來，同學你帶我去好了。」主任說。

志豪帶著主任到了鐵皮屋，敲了敲門都沒人回應。從窗戶往屋裡看工友也沒有在屋子內。主任繞到了鐵皮屋後面，突然聽到了一聲大叫：

「啊！出事情了！同學，趕快去找老師們過來。」

志豪好奇的也跑了過去，發現工友阿伯躺在地上，主任怎麼叫也叫不醒。

「趕快去啊！」主任說。

「喔，好。」志豪立刻跑去找支援。

過不久警察與救護車都來到了現場，警察初步判斷應該是修理樓層天窗時不慎跌落，後腦杓直接著地造成重創。處理完工友屍體後，警察開口問說：

「校長，死者姓名是？」

「呃…陳主任，工友他名字是？」校長轉頭問主任。

「我也不知道耶…，我平常都叫他張先生。」主任說。

「你們都是這裡負責人怎麼會不知道？」警察先生說。

此時志豪突然插話說：「他叫張鐵志，白鐵的鐵，志氣的志。」

回憶那天，志豪走出鐵皮屋後沒多久，跑回來問阿伯：

「阿伯，你叫什麼名字啊？」

「死囝仔，沒大沒小，我叫張鐵志，白鐵的鐵，志氣的志。」阿伯說。

「喔，我叫林志豪，也是志氣的志，豪氣的豪。」志豪說。

「好啦，快回去睏午啦。」阿伯揮揮手示意。

「阿伯，我知道你很認真在學校工作哦，我都有看到你在修窗戶、修廁所。當工友好像很勵害，什麼都會修理耶。」志豪說。

「我這頭路沒出息啦，說不定做到死都沒人發現。好好讀書，不要跟我一樣。」阿伯嘆氣的說

「好的，阿伯，改天再來聽你抱怨，掰掰。」志豪說。

「賀！沒大沒小…」阿伯吐了口氣說。

志豪永遠想不到，這是第一次也是最後一次跟阿伯聊天了。

長大後回憶起這件事，志豪思考著工友阿伯的犧牲奉獻真是不值得。不過以另一個角度來看，再怎麼被剝削也對自己的工作負責；再怎麼痛苦也把事情做完。不禁感嘆，唉：你說這是一種責任感還是台灣人的奴性呢？

## 管理員

## 「別怕冷言與諷語，坐等患難見真情。」

記得 1999 那年夏天，是環珠格格的最終大結局。志豪期待著，下一次還會播出哪部好看的連續劇呢？回想起去年，看著任賢齊的神鵰俠侶、唱著對面女孩看過來，這首紅遍大街小巷歌曲，現在的你是否還懷念守在電視機前等待播出的那一刻？或許

沒追過劇的你無法體會，但 1999 年 9 月 21 日這天，全台灣人一定不會忘記。

家天下，是志豪他們家公寓的名字。門口的管理員是位風評非常不好的人，經常聽父母親說，住戶常常抱怨他，上班時打瞌睡，不然就在看雜誌或報紙，和他反應社區的一些狀況也都敷衍了事。志豪常常聽媽媽說：

「找時間再來找租金便宜點的房子，每個月還要繳管理費給這種人，真是浪費錢！」

不過在 921 的那天凌晨過後，社區的人也對他改觀了。1999 年 9 月 21 日凌晨 1 點 47 分，一陣地動山搖，志祥與志豪從睡夢中驚醒了。看見爸媽衝來房間大喊：

「啊！地震啊！」

倆人各自抱著一個小孩，度過人生最可怕的 1 分 42 秒。地震停止後，看到屋內東西掉滿地且牆壁上出現一條大裂縫。爸爸立刻說：

「快！快到樓下去！」

原本是一個凌靜的夜晚，社區廣場上卻是充滿驚惶的吵雜聲。

「啊唷！大門屋頂都崩塌下來了，怎麼出去啊？」一位住戶大喊著。

「裡面管理員不知道怎麼樣了？」

「管他怎麼樣，平常那麼懶散，死好啦！」一位大媽這樣說著。

「大家快到後面爬牆出去，等下公寓倒下來就完蛋了！」一位阿伯大喊著。

公寓後面的牆大約有兩百多公分高，一般成年男子還爬的上去，但對於小朋友、老年與婦女是非常困難的。志豪爸爸先爬了上去，坐在牆上一手拉著志祥的手，媽媽在下面頂著志祥的屁股，想要一股作氣的將志祥推上去。這時餘震來了，在牆上的一群成年男子立即跳了下來，雙手緊抱住孩子，再一次度過這恐怖的時刻。

「死定啊！是要怎麼出去啦…」一位男子緊張的說。

「大家去拿椅子，不然這樣沒辦法上去啊！」一位阿伯說。

「不行啦！不能回屋子！等下大樓倒掉就出不來了…」一個女子說道。

「阿是馬安怎啦…」一群大媽不知所措的說。

這時候志豪看到遠方來了一個人，步履蹣跚的拖著一把梯子。

「是管理員耶。」志豪大聲喊說。

「啊唷！管理員沒死哦？」一位大媽驚訝說道。

「靠杯啊，嘴卡店耶啦！」大媽的老公說。

「梯仔這在啦！大家先慢慢地爬出去。」管理員說。

「阿你咖(腳)是安怎啦？」一個阿伯問。

「沒事啦，從大門爬出來的時候受傷的，大家先爬出去啦！這裡太危險了。」管理員說。

成年男子們一邊慢慢的協助小孩、婦女爬上牆，另一邊接著她們下來。一小時過後社區的人都到了大街上靜靜的坐著。看著這一片陷入黑暗的城市裡，充滿著驚恐、無助的人們，這一夜忘不了全台灣的人都忘不了。

過了幾個月，因家天下被判定為半倒危樓，為了安全起見，志豪家只能暫宿爺爺奶奶那。

某天與爸爸、哥哥志祥一起回到家天下搬東西，倒塌的大門屋頂已經清除了。原本的那間管理室也不見了，現在只剩一張板凳與桌子。管理員一如往常的坐在板凳上，翹著腳看著報紙。

「管理員，你好，你腳有沒有比較好？」志豪爸爸問。

「沒事了啦！你來搬東西哦？」管理員問。

「對啊！阿你怎麼還在這？」志豪爸問。

「最近很多人都來搬，怕有不是這邊的住戶進來偷東西，反正我沒事，就在這邊看著。」管理員說。

「你真有心呢。」志豪爸爸點點頭說。

「沒有啦，在這工作這麼久了，人我都認識啊，無聊而已。」

「很多人都來搬東西吧？」志豪爸爸問。

「沒有耶，像你們這些用租的才來搬，有些在這邊買房的，怎麼可能搬，照住啊！」管理員說。

「不是已經是危樓了？」

「沒辦法啊，人家好不容易買房子，沒有地方住也只能照住。」

「也是啦，那我先上去了。」志豪爸爸點點頭後離開，這時管理員叫住了志豪。

「小弟弟！來來來！，你是不是喜歡七龍珠？」管理員問志豪。

「對啊！你怎麼知道？」

「我以前聽到你在那邊喊龜派氣功，我當然知道啊，我這邊有一套漫畫，你就拿回去吧！」

「哇！好棒哦！可以嗎？」

「當然可以啊！，等下叫你爸來順便搬。」

「謝謝！疑？叔叔，之前大家都講你壞話，為什麼你還要在這邊幫他們看啊？」

「小弟弟，以前住戶講我什麼我都知道啦！不過那天晚上過後就對我比較好了，來送你十個字。」

「別怕冷言與諷語，坐等患難見真情。」

「叔叔，這總共是 14 個字耶？」志豪數了數。

「靠妖啊，只是個意思而以啦，快去幫你爸搬東西吧。」

「嗯嗯，掰。」

## 好朋友

## 「人好像經歷過重大變故，就會改變。」

921 是許多人的夢魘，也是志豪轉變的起點。剛上國一的志豪，開學不到一個月就遇到這場災難。學校停課、房屋半倒，許多災民在等待鐵皮屋蓋好前只能暫時在公園上紮營為家。這些日子都不用上課，對學生來說是個快樂悠閒的時光，但對於志豪卻是一段難以抹滅的回憶。

小凡、孟哲是志豪小學時期最好的朋友，雖然上國中後沒有同班，但假日還是會時常玩在一起。921過後的那一週，許多人還是心有餘悸，不敢住在原本的屋子，所以學校操場、公園…等都擠滿了人潮。大人們的日常就是每天排隊拿物資，順便關心一下親朋好友的狀況。閒閒沒事的志豪，也想去看看他兩位好朋友，在得到媽媽同意後，很高興的騎著腳踏車去小凡與孟哲的家。到了小凡家後，發現房子的外觀烏漆墨黑的，好像發生過火災似的。志豪往屋內叫了一聲：

「小凡～～，小凡～～～你在家嗎？」

旁邊的大媽看到志豪在呼喊後說：

「阿弟啊！裡面沒人啦！麥叫啊。」

「那他們家人呢？」志豪問。

「唉…聽供走(死)到剩一個囝仔而已。那晚這間厝就起火啊，陽台鐵窗都封死的、一樓鐵捲門也打不開，全家都在哮，就扣憐耶。」大媽說。

「蛤？沒人救他們嗎？」志豪驚訝的說。

「有啊，厝邊頭尾都想辦法來撞鐵門啊，不過就撞不開。到最後只有他兒子從廚房的小窗爬出來。唉…其他人救出來時應該都沒氣息了…真正就扣憐耶…」大媽說。

「怎麼會這樣…，那小凡人呢？」志豪非常難過問。

「應該是在病院。」大媽說。

聽到這麼令人難過的事，志豪心急了，不知道孟哲是否也安好？他立即又騎上鐵馬往孟哲家奔去。一到孟哲家後發現，房屋已經是全倒狀態，二樓都變成了一樓，慘不忍睹。此時此刻志豪忍不住自己的情緒，在孟哲家外面哭了起來：

「小凡、孟哲你們在哪裡？…」

「阿弟仔，你要找林家哦？」一位阿伯看到說。

「嗯嗯…」志豪點點頭。

「你去附近醫護所找找看啦！」阿伯說。

聽完阿伯指示後志豪就騎著車在附近尋找，最後在臨時醫護所看到了孟哲媽媽。

「孟哲！」志豪喊了一聲。

「疑…黑鬼豪，你怎麼來了？」孟哲躺在病床上。

「你…腿怎麼了？」志豪問。

「壓壞了。」

「怎麼壓的？…」志豪很傷心問。

「那晚我們往一樓逃出去時，房子就整個塌下來了。我們被壓在下面，過了好久才被救出來。」孟哲媽媽說。

「……」志豪難易置信不發一語。

「我拔拔，我拔拔…他死掉了，嗚…嗚…」孟哲講著講著哭了起來。

「好了，好了，不要哭，媽媽還在，不要哭。」孟哲媽媽抱著孟哲。

「……」志豪難過的也哽咽了起來，他不敢向孟哲告知小凡的狀況也不知道要怎麼安慰孟哲，就這樣默默的點頭後離去。

志豪一路上慢慢回想從前和他們相處的快樂時光。他和小凡時常去孟哲家玩，知道孟哲爸是一位非常好相處的大人而且帥氣又有趣，知道小朋友在流行的東西與正在追的連續劇，所以很容易融入他們世界，跟他們一起玩耍。

反町隆屎，是孟哲幫他爸爸取的外號。記得有天在電視上播出麻辣教師時，他爸爸跑過來說：

「這男的跟我一樣帥，是吧！？看來我也可以去拍戲了。」孟哲爸說。

「人家可是反町隆史耶…」孟哲說。

「那我就是南投縣的反町隆史。」孟哲爸說。

「你狗屎的屎啦！」孟哲說。

「哈哈哈哈，反町隆屎。」志豪與小凡大笑。

「哎唷！你這死小孩，敢跟你老爸這樣講話。」孟哲爸手臂架著孟哲脖子。

「啊！對不起啦！救命啊！」孟哲笑著求救，旁邊的志豪與小凡也開心的笑著。

孟哲爸就是這麼容易和小孩打成一片。他的過世，對於孟哲打擊是非常大的。他少了一位好玩伴、好榜養，一位不可或缺的好爸爸。

日子漸漸會掩蓋住悲傷，因為人生仍需繼續往前進。回到學校正常生活後，小凡因為寄養在台中阿姨家而轉學了，他就這樣不告而別；另一方面，孟哲也變得安靜許多，沒有像以前那樣吵吵鬧鬧，但他的成績卻是突飛猛進。有次在段考的榜單上，全校前三名就出現了孟哲的名字，這讓志豪感到非常訝異，因為以前的孟哲是位非常愛玩、不愛讀書成績普通的人，志豪看到榜單後很替他開心立即去找孟哲祝賀說：

「孟哲，你全校前三名耶！好強哦！」

「你努力讀書也可以啊！」孟哲冷冷的回。

「你什麼時候變得那麼認真啊？」志豪問。

「以前回家有爸爸陪我玩啊，現在沒有了，回家就乖乖讀書了。」

「喔…那你媽媽現在還好嗎？」志豪不好意思的問。

「很好啊，白天都要上班，忙得很。」

「嗯…那這假日我們一起去打電動，要嗎？」志豪問。

「不行，我要讀書。」孟哲冷冷回。

「太認真了吧？！」志豪驚訝的說。

「我腳不方便啦，哪像你還能跑能跳。」孟哲冷漠的回。

「喔喔…。」志豪不好意思的點點頭。

「讀書很好啊，希望之後可以考到公立高中，學費便宜離家近，減輕媽媽負擔。」

「嗯嗯。」志豪點點頭，這時上課鐘聲響起了。

「那我回教室嘍，改天再來找你，掰掰。」志豪說。

「嗯嗯，掰掰。」孟哲也點了點頭與志豪告別。

從此之後志豪與孟哲倆人漸行漸遠，曾經的好朋友就這樣沒聯繫了，直到 10 年後的同學才又見到面。孟哲很努力考上了復健師，小凡卻是誤入歧途，聽說常常在監獄進進出出，這讓志豪不禁感嘆：

「人好像經歷過重大變故，就會改變。」

那一年志豪也成長了，這場災難讓他失去了兩位最好的朋友。他漸漸思考未來並警惕自己不能跟小凡一樣自暴自棄，也不必像孟哲這樣緊逼著自己。

「樂觀進取」是他經過這段故事後的座右銘，希望在未來的道路上能快樂的完成人生每一階段。不過沒想到，最後這一切換來的卻是「徒勞無功」。

# 伍、徒勞無功

## 綁架
### 「別讓親情綁架你的未來。」

2002 年 6 月國中基測放榜，成績普通的志豪為了選填志願而煩惱，是要為了家庭經濟考量選擇公立高工的建教合作班呢？還是選擇喜歡的英文系？這兩個系完全是天差地遠。選填志願的那天，媽媽對志豪說：

「你看你哥哥多認真，考上第一志願的高中，你為什麼不努力點？」

「如果你選私立就自己想辦法打工！學雜費那麼貴，媽媽繳不起。」

媽媽常常拿哥哥的成績來做比較、拿家裡的經濟來勒索。最後志豪只好選擇了公立高工機械科的建教合作班。一星期在學校上課三天、工廠工作二天。雖然有微薄的薪水可領，但是待遇和工時是完全不合理的。在工廠一天早8晚6，一個月才2~3千元，換算下來一小時也只有20幾塊錢，簡值是剝削學工！但志豪不以為意，只要學費便宜還可以賺點錢，減輕家裡負擔他就很高興了。

在工廠裡有位資深員工在帶領這些學生，教他們怎麼操作機器，並且監督著學生們的安全與作業流程是否有符合標準。這位資深員工他叫「阿亮」，同校畢業後就直接來工廠工作，也算是志豪的大學長。

某天在工廠，學生們一如往常的在執行車床切屑的工作，這時候巡查的阿亮學長來到了志豪身旁說：

「學弟，很快就上手了哦，畢業後要不要來這邊上班啊？」阿亮學長問。

「不知道耶，那阿亮學長，你畢業後怎麼不繼續讀大學呢？」志豪反問。

「我不喜歡讀書啊，我做這個做習慣了，何必再浪費四年呢？」阿亮說。

「哦？那畢業後來這邊薪水好嗎？」志豪問。

「算好嗎？嗯…我在這快8年了，加班也有四萬多，還算可以吧…」阿亮想了想。

「很不錯耶，我媽在市場一個月好像也才2~3萬而以。」志豪回。

「那你要來嗎？」

「不要！哈哈。」

「練肖話，你媽在市場做什麼的？」阿亮問。

「賣衣服的。」

「你爸呢？」

「沒有在工作了。」

「是喔…你家幾個小孩啊？」

「2個，我還有一個哥哥。」

「那你媽媽很辛苦耶…」

「對啊，所以我才來讀建教班。」

「你算是很會為家裡想哦。」

「還好啦。」

「那…你喜歡做這個嗎？」阿亮很嚴肅問。

「不知道耶…」志豪猶豫了一下。

「不喜歡吧…？」阿亮問。

「我當初想讀英文相關的科系。」

「哦？那跟機械差很多耶，你我應該都是家裡過不去才來讀建教合作班的吧？」阿亮驚訝的說。

「是啊…」志豪回。

「學長跟你說啦，我是不想再唸書才來工作的。而且我知道我適合做這個，你如果不喜歡，我勸你要趕快換，這時期對未來很重要的，不要被家裡綁架了！」

就這一句話深深的打中了志豪的心裡，他停下了手邊的工作，並思考著：

「這真的是我喜歡的嗎？是我想要的嗎？」

就在志豪沉思的時候，對面同學叫著阿亮學長：

「學長，這轉軸好像怪怪，一直發出聲音…」

同學話一說完，在車床上的待切物突然飛了出去，整片削傷了同學的手當場鮮血直流，阿亮學長立刻脫下衣服幫同學止血並通知其他員工叫救護車。這一幕讓學生們都嚇到了，也因為這事件和學長的一句話讓猶豫不決是否要繼續讀建教班的志豪，心中有了答案。

「學長說的對，我不要再被親情綁架我的未來了。」

回家後志豪跟媽媽口述今天在工廠發生的易外事件也順便提起自己不想再待在建教班的事，志豪媽媽聽完點點頭說：

「好，工廠確實是滿危險的，你如果決定要休學重考英文系，拜託你一定要像你哥一樣努力，如果考不上公立，你真的要自己半工半讀了，媽媽真的幫不了你。」

「謝謝媽媽，我會加油的！」志豪很高興的說。

隔天辦完休學手續後，志豪就開始準備重考，不過時間也只剩下不到三個月，再次重拾書本對他來說是件很大的挑戰。無奈原本國中成績就不是很理想，加上時間上壓力的衝擊下基測成績比去年還差，最後選擇了一間私立的五專英文系。媽媽得知後很不開心的說：

「就叫你認真點，你看！現在連公立都上不了，註冊費你自己想辦法！」

「媽，我會好好利用時間打工，拜託妳，這是我想讀的。」志豪苦苦哀求。

「隨便你啦！」媽媽氣的離開現場。

此時志豪顯得難過，他知道為什麼得不到媽媽的支持與鼓勵，就是因為「錢」，沒錯，就是因為錢。他知道媽媽的經濟壓力很重，完完全全可以體諒不過心中還是有一點點希望，能得到她的支持，志豪告訴自己：

「樂觀進取，沒錯！半工半讀就好，畢業後英文好，一定能找到好工作！」

志豪就是這麼樂觀看待一切，可是他不清楚在台灣英文好，不一定能有好工作。唉，這就是家庭背景的觀念差距，無法得知菜市場以外的職場生態。不過值得敬佩的是志豪堅持他想要做的事，勇於承擔自己的決定。他鼓勵自己說：

「我的未來，自己規劃，自己負責。」

## 霸凌

### 「霸凌者身邊永遠都有個縱容者。」

在台中就讀五專的志豪，每天需往返南投兩地，不僅浪費時間在通勤上，每月的交通費也是很可怕的。所以下學期決定轉入夜間部，在台中租個小雅房，白天打工、晚上讀書，過著半工半讀的日子。他找到了一家大賣場負責進貨、補貨的工作，說起來就是個勞力活。

柏仁與文達這兩位是志豪同一班的工作伙伴。三個人就是負責全賣場商品的進貨與上架。柏仁是正職的資深員工，在賣場做了快8年，性格上很直白，嘴巴完全管不住，經常帶話傷人。反觀另一位同事，文達，他是位個性非常憨厚的人，話很少且安靜，時常被柏仁罵笨、做事憨慢…等也都不回嘴反駁，就默默承受。志豪有次看不慣柏仁對文達的言語霸凌，向主管mark反應後得到的回答卻是：

「柏仁說話是比較直啦，但我覺得他也是為了工作能順利進行，沒有惡意啦。」

「你們都很認真，我都知道。大家合氣生財嘛，為了工作多忍耐多體諒。」

聽完主管這樣說，樂觀的志豪想了想：

「或許柏仁真的沒有惡意吧，嗯嗯，一切都是為了工作。」

直到某一天，志豪才發現人的容忍度也是有保持期限的。

記得那日下午，廠商一如往常的運送大批雜貨來倉庫門口。柏仁清點完數量後，文達和志豪就拖著大型推車過來，倆人將一箱一箱的貨物慢慢堆上車去。柏仁一如往常的喜歡碎念文達與志豪，在一旁催促說：

「快點！快點！你們是沒吃飯是不是？喂！許文達，你是白痴嗎？這箱這麼大你是不會橫著放哦？」

「喔喔。」文達點點頭說。

「喔什麼啦，趕快搬一搬拉上去倉庫放，要下班了，你不要拖累大家好不好⋯⋯」柏仁口氣很不好的說。

「柏仁，這車塞不下了，分兩次拉吧？」志豪說。

「哪塞不下，明明就還可以堆啊。」柏仁說。

最後文達那台推車，堆的特別高，文達反應說：

「這樣電梯進不去吧。」

「你進電梯前再拿一點下來放旁邊啊，做這麼久了腦袋都不會變通哦！」柏仁說。

「嗯⋯⋯」文達點點頭後拉著車先走。

這時候柏仁發現角落還有兩箱玻璃罐裝醬油還沒上車趕緊叫住文達：

「喂，許文達，你瞎了哦！這還有兩箱啊！」

「剛沒看到。」文達回。

「放上去。」柏仁說。

「這很重，上去很容易掉。」

「我不是跟你說進電梯前再拿下來放旁邊啊，你真的聽不懂人話耶！」

「算了啦，等下我跟他再下來搬啦！」志豪說。

「我又沒問你，這裡你最資深嗎？」柏仁瞪了志豪說。

「沒關係，我再放上去。」文達回來搬了一箱。

「那這箱給我好了。」志豪不理會柏仁，把另一箱搬到自己車上。

「隨便你們啦。」柏仁回。

就在三人拉著推車往貨梯走去時，恰巧遇到主管陪著一群長官來巡視，其中一位女長官說：

「Mark，那小兄弟的貨物也堆的太高了吧，等下掉下來怎麼辦？太危險了！」

「不會啦，他們平常就這樣，會注意的安全的。」mark 回。

說時遲那時快，好死不死，文達推車上那箱玻璃罐裝醬油就這樣掉了下來。碰！雖然箱子沒有破，但是可以聽得到裡面玻璃罐破碎的聲音，黑色醬油就這樣從箱子縫隙流了出來。這一幕長官們都看傻了。

「Mark，我看你們要檢討一下推車上的貨物能擺多高了。」女長官說。

「對不起，對不起，我會檢討，我會檢討，我們再去別的地方看吧！」Mark 道歉完立刻將長官們帶離現場，離開前也瞪了一下志豪他們三個人。志豪三個人立即清理現場，柏仁這時候又開始碎念說：

「媽的，幹！等下一定被 k，這下不能早點走了。」

「也只能這樣了，就收一收，快點拉上去放吧。」志豪說。

這時候看到 Mark 氣沖沖的回來大罵：

「許文達！做這麼久了，重的東西不疊上面，你不知道嗎？」

這時候柏仁補了一槍說：

「Mark，我有跟他說過了啊，就硬要堆啊，唉…」

「我現在才知道，柏仁在說你憨慢不是在說說而已耶，你知道這讓我有多丟臉嗎？」MARK 說。

「對不起。」文達低著頭說。

「幹！」MARK 氣著踢了那摔在地上的紙箱。

「我跟你說，你就做到月底。」MARK 對著文達說。

「對不起 MARK，不要這樣，再給我一次機會，我會改進的。」文達求著 MARK。

「你不走，我無法跟上級交代。」MARK 說。

「拜託拜託，我會改的，我需要這份工作。」文達求著說。

「就這樣！」MARK 講完轉身離開，這時候文達情緒已經崩潰的蹲在地下哭。

「哼！查埔人哭什麼？快點收一收！我要下班了。」柏仁說。

當柏仁轉身要拉推車時，文達撿起破碎的玻璃罐往柏仁頭上狠狠的刺下去，他不發一語，面無表情，一陣一陣的從頭刺到脖子再往臉上刺。

這一幕讓志豪嚇傻了，他大叫：

「MARK ！出事啦！出事啦！」

事後好險柏仁保住了性命，文達也因殺人未遂移送法辦。這件事讓志豪身心受創，也無法再賣場繼續工作了。他與 MARK 打完商量後，決定等新人報到後再離職。

經過這件事讓志豪思考著，他和 MARK 都沒嚴厲指責柏仁的行為，是不是就這樣縱容他一直對文達的語言霸凌呢？尤其是 MARK 都將這樣的行為合理化，自欺欺人，這不禁讓志豪感嘆：

「禍從口出，僅言慎行，逞一時嘴快，反轉你的人生。」

「喜歡叫囂回嗆，是因為沒遇到會同歸於盡的瘋子。」

「他坐牢，你受傷，值得嗎？喜歡說話帶刺的人，真的小心對方反撲。」

## 羞辱

## 「人有時候再努力，也是徒勞無功的。」

半工半讀本來就是一件不容易的事。志豪接連做過麥當勞、牛排館與飲料店…等。白天工作耗盡體力，晚上唸書時也很難保持著專注力。五專求學之路跌跌撞撞，唸了六年也總算畢業了。不幸的是，緊接著收到兵單就遇到媽媽病倒的事情。家中唯一的經濟收入沒了，正在唸碩士班的哥哥志祥也感到煩腦。這時候志豪下了一個決定，反正都要當兵，就簽了三年的志願役，錢比較多也能幫助家裡，合樂不為？單純的志豪完全沒想到，這是個錯誤的決定。

退伍後的志豪就開始找英文相關的工作，投了好多家履歷，每天都等著面試通知，就這過了半年，不管是美商公司、文章翻譯或英語補習班…等，不是石沉大海，就是沒有一家願意錄取志豪。心灰意冷的他不知所措，於是想到了五專時的導師 Michelle，並找她諮詢與協助。

「老師好久不見。」志豪到了 Michelle 的辦公室。

「你來啦，來來來，我們去那邊坐。」Michelle 指了一旁的會議室。

「你想喝些什麼東西嗎？」Michelle問。

「不用了，老師，謝謝，這是我家鄉產的百香果。」志豪拿了一袋百香果給老師。

「謝謝，那麼客氣！」

「不會啦。」

在噓寒問暖過後老師開始進入主題。

「你在電話中提到，英文相關的工作很難找，是吧？」Michelle說。

「是啊，我投了好幾家都沒有上，想請教老師，同學畢業後都找什麼工作居多呢？」志豪問。

「其實唸英文的在畢業後能找的工作真的不多。」

「為什麼？」志豪問。

「文科在台灣真的不吃香啊，除非要有第二專長。我記得我以前有跟你們說過，一定要培養第二專長。」

「我知道，但我白天都在打工。」志豪說。

「我了解你的狀況，我說個實話，你聽了不要太難過。如果說大公司找英文相關的人材，他們首先都會看學歷，如果不是台、政或著相關文組名校就是看你的英文證照、像托福、雅思…等。」

「我有托益八百多分的證照啊。」志豪納悶問。

「這完全不夠用！而且你想想，如果公司真的要找翻譯的人材，一定會找國外留學回來的人啊。」

「哦…留學，對我家來說根本不可能。」志豪搖搖頭說。

「老師建議你學習第二專長，或者準備公職考試，都能試試看。」

「好…」志豪很難過的說。

「不要氣餒，加油！我記得你的新生介紹時的座右銘啊！「樂觀進取」，你一定可以的找到適合你的工作的。」Michelle 拍拍志豪肩膀說。

「嗯嗯，謝謝妳老師，今天打擾了。」

離開時的志豪邊想著下一步該怎麼做時，一通電話打來了。

「請問是林志豪嗎？」

「嗯，你好。」

「這裡是漢林兒童美語，你之前有來面試吧，請問你現在有在工作嗎？」補習班問。

「沒有耶。」

「那首先恭喜你錄取了，我們希望你可以來這邊上班。」補習班說。

「太好了！」志豪很開心的說。

「那你什麼時候可以開始上班呢？」

「明天！明天就可以。」

「哈哈，好，那明天下午三點過來吧。」

「好！」

志豪隔天就到補習班報到，算是皇天不負苦心人吧，家人都很替他開心。在這家補習班主要工作是教學齡前的兒童美語。假日有時候會安排校外教學，也算是另類的保姆工作。

志豪也在這邊認識了他的女朋友佩佩，就這樣待了二年多。志豪很喜歡這份工作，他也期待著可以把這裡當作跳板，努力存錢，有朝一日也可以開間小小的英文補習班。不過某天的一場校外教學意外，讓他這個夢想破碎了。

這天小巴司機在路上與一台車發生擦撞，在車上的是位外國人，他非常生氣的下車找司機理論：

「Hey! what´s wrong with you?」

「公啥聽無啦，老師，你跟他說是他自己突然停下來，我煞車不及才撞上去的。」司機跟志豪說。

此時很少與外國人對話的志豪，吞吞吐吐的回：

「Sorry, I … I… call the police.」

過不久警察就來了，準備釐清責任時，警察問司機說：

「你說他突然停下來，你煞車不及就撞上去？」

「對啊，我有保持安全距離哦！」司機說。

「你來問他為什麼急煞？」警察對志豪說。

「What… What… 呃…，why do you stop?」志豪想了想。

「What? You fault, you hit my car! Look!There´s a damn dent on my car.」外國人指了車對司機怒嗆。

「依勒公啥啦？」司機問志豪。

「呃…他說你撞到他的車，然候…後面我聽不太懂，可能是說撞凹了吧。」志豪說。

「疑?你不是美語補習班的老師嗎?怎會聽不太懂。」警察很驚訝的說。

「抱歉，我英文對話比較差。」志豪不好意思的說。

「算了，算了，等你家另一台巴士來載小孩後，你跟阿豆仔一起來派出所做筆錄。」警察對司機說。

過不久，另一台巴士來到，車上的小孩換車後志豪也跟著他們回到補習班。因為這件事情，志豪的破英文也在補習班裡面傳開了，隔天有很多家長前來抱怨說：

「司機怎麼都不保持安全距離呢?你們不改善我怎能安心把小孩交給你們?而且我兒子說，昨天帶他們的那位英文老師，聽不太懂外國人說話?也太誇張了吧!」家長a說。

「對啊!太扯了吧!那樣還敢教小孩，別誤人子弟了!」家長b說。

「請各位家長先保持冷靜，我們會再檢討與改進。」補習班主任回。

這時候志豪走了出來對著家長們道歉：

「對不起各位，昨天我一時太緊張，所以…」這時候家長a打斷了志豪。

「所以怎樣?你哪個學校畢業的啊?」家長a問志豪。

「華光技術學院。」志豪回。

「什麼爛學校，聽都沒聽過！主任，你們收費那麼貴，都請一些雜七雜八的老師來教嗎？」家長a說。

「對啊！退錢啦！沒良心的補習班。」家長b說。

「抱歉各位，老師的資格，我們會再做進一步加強審核。」主任說。

「不管啦！退錢！退錢！要給個交代啦！」一群家長怒吼著。

經過了一個小時的吵鬧，主任終於安撫了學生家長。主任將這件事與老闆報告後的隔天，她把志豪叫過來說：

「志豪對不起，你可不可就做到這個月呢？」

「為什麼？我對話不好，我可以再加強！」志豪很納悶的說。

「真的很不好意思，我知道你很熱心帶小孩、對小孩很好，但你不走，我無法跟家長交代。」

志豪思考了一下，點點頭很難過的說：

「嗯…我了解。」

這時候女朋友佩佩很生氣的說：

「主任，怎麼可以就這樣犧牲掉志豪呢？」

「我也只是遵照老闆意思，我無能為力⋯」主任很無奈的說。

「沒關係，謝謝你們這段時間的照顧。」志豪說。

現實就是這樣，你覺得志豪的英文對話不好，是因為求學階段時家裡的牽絆，還是他不夠上進？

你說他不努力嗎？還是因為沒像他哥哥一樣聰明呢？我想任何人都沒資格去評斷他，因為志豪沒有做錯任何一件事。在打包離開的那天，他又回憶起 Michelle 老師跟他說的那些話，心想：

「有錢人的家庭，要有好的英文能力，都直接送出國最快吧？哈哈。」

「我在補習班小朋友這年紀時在幹嘛呢？應該是跟著媽媽顧攤位吧⋯」

「這就是階級複製的現實吧⋯每個家庭能給的資源就是這麼不公平。」

「唉⋯人有時候再努力，也是徒勞無功的。」

這一刻「樂觀的窮小子」就這樣消失了。

他的座右銘，此刻在心中就像句笑話一樣可悲。

# 陸、最終章

「解脫。」

美語補習班的圈子很小，志豪口說能力不足的事也在業界傳開了。這讓志豪再也沒收到任何一家補習班的面試通知，就這樣過了三個月，心灰意冷的志豪沒辦法，只好再次在服務業打工。過了一段時間後他突然接到了哥哥志祥的電話。

「弟，你想不想來我這邊工作？」志祥問。

「做什麼的？」志豪反問。

「核電廠的保安人員，這邊剛好有缺，我可以幫你介紹，薪水不錯，一定比你之前的工作還要多。」

「那媽怎麼辦？」

「其實是媽拜託我幫你找工作的，媽就放心交給爸吧！自從媽那次大病後，爸有比較覺悟了，不是嗎？」

「嗯嗯，我感受的到。」

「要來嗎？」

「好。」

就這樣志豪到哥哥的核電廠，當起了保安人員，但他完全意想不到，這是一條助紂為虐的不歸路。

電廠的保安人員負責大門與主控室的進出口管制，主要審核進入電廠的人員，並檢查身上是否有帶任何危禁品。大門保安在沒有人進出時就待在監控室裡，而主控室保安則是坐在哨位辦公桌上。

保安隊長會固定時間排人巡視電廠的每一處，所以他們掌控了全廠區的鑰匙。每到一個巡視點都要進行記錄，而跑完整個廠大約要花一個半小時的時間，以上就是保安人員的日常。

任職三個月後，志豪也順利通過了試用期。白天大門通常都會有兩位保安進行駐守，但大夜班只會留守一位。在某天凌晨正值大夜班的志豪一如往常的坐在大門監控室裡，突然前方來了一輛車，志豪立即上前查看，一看到車牌號碼後就認出是哥哥志祥的車，志祥掀下車窗後說：

「嘿，志豪。」

「哥，這麼晚又來搶修哦？」志豪問。

「對啊，又有網路通訊不良的情況發生，說要馬上處理。」志祥說。

「辛苦了。」

「你也是啊，大夜班很累的。」

「還好啦，凌晨幾乎不會有人啊。」

「也是啦，那我先進去嘍。」

「好。」志豪與哥哥揮手告別後，再次回到監控室內。過了不久，突然聽到有人來敲門，志豪覺得奇怪，打開一看竟是哥哥志祥。

「哥，你不是要去搶修嗎？跑來看幹嘛？」志豪問。

「看你夜班會餓，我買了鹹酥雞和飲料給你啊。」志祥提了一袋炸物與飲料過來

「哇！這麼厚工(台語)，謝謝啦！」

「恭喜你通過試用期了！」

「哈，還好啦，這份工作滿單純的。」

「不會啊，你很重要，有些事情沒有你很難做到。」

「哪那麼誇張？」

「哈，不聊了，我先進去了！」

「好，掰掰。」

與哥哥告別後，志豪就在監控室裡看著監控影像，並一邊吃著炸物、喝著飲料。過了一會，他突然感到頭昏眼花就這樣昏睡了過去。這時候哥哥志祥悄悄開了門進來，看到志豪整個人姿勢詭異的趴在桌上，志祥心想：

「看起來藥效滿強的。」

接著志祥將監控的電腦全部關閉，拿了幾把鑰匙後離去。走之前，志祥對著志豪耳邊小聲說：

「對不起，志豪，你總是這麼樂觀，我好羨慕。」

不知道過了多久，志豪隱隱約約的聽到有人再叫他並且很用力的搖晃，試著想叫醒他。他努力的睜張開眼睛一看，是位不認識的警察。

「你醒啦！我跟你說，你現在快點跟我來！」警察隊長說。

「發…發生什麼事了？」志豪昏昏沉沉的問。

「邊走邊說，快！幫我伏著他。」隊長請在旁的警察一起扶著志豪。

「到底…到底發生什麼事？」志豪問。

「林志祥是你哥吧？」

「是啊。」

「他現在拿著槍，正挾持一名員工。」

此時志豪醒了且很驚訝的問：「槍？怎麼可能？哪來的槍？」

「問我怎麼知道？他已經槍殺了一名主控室在值勤的保安了。」

「什麼！？」志豪感到難以置信。

到了主控室後，隊長問了在場的人員說：

「人呢？」

「不知道跑到哪裡了？」一名員工說。

「那他還有挾持人嗎？」隊長問。

「沒有，被挾持的那個人，已經…死了。」員工指了地上一具屍體，死者是一位主控室的操作人員，頭部中槍，隊長立刻又問說：

「剛發生什麼事？」

「林志祥就拿著槍指著他，叫他升高反應爐功率。」員工回。

「升高後會怎麼樣嗎？」隊長問。

「爐壓會變高啊。」員工回。

「所以他想讓電廠爆炸？」隊長問。

「我不知道他動機是什麼啦，但電廠都有保護機制，壓力太高就會自動停機。」員工說。

「那現在是停機了嗎？」

「嗯，自動停機了。不過不是因為壓力升高而停機，是別的保護系統造成停機的。」員工說。

「聽不太懂，那為什麼操作員會被殺？」隊長又問。

「他不聽林志祥的話去做啊，都被用槍指著頭了，還敢嗆他說「你開啊！」。唉…結果林志祥就一槍朝著他頭開了下去，接著就在操作台上隨便亂按，應該是引動到別的保護機制使機組停機了。」員工說。

逞一時嘴快，反轉你的人生。不怕叫囂回嗆，是因為沒遇到會同歸於盡的瘋子。

這一刻大家的心中認定，林志祥已經失去人性了。

「了解。你們知道他現在人在哪嗎？」隊長點了點頭後問。

「好像往反應爐那邊去了。」一名員工跑過來說。

「想一想，現在他有什麼動作可能會造成危險的嗎？」隊長問。

「停機了，應該是不至於有什麼危險。」一名員工說。

「隊長，現在怎麼辦？」一位警察問了隊長。

「等支援的到太慢了，怕他會再做出什麼事情，我們先一起進去找他。」隊長說完立刻整隊出發。

隔天一早，電視旁白、網路媒體等新聞平台，都立即出現幾則頭條快訊。

「核電廠疑似遭恐怖份子入侵，目前已安全停機中。」

「一名男子持槍射殺核電廠員工，造成機組運轉中斷。」

此時坐在反應爐外的男子志祥，滑著手機自言自語的苦笑著：

「可惜啊，什麼事都做不了…早知道應該讀核能相關科系，才可以了解核電廠的運作。」

「唉…虧我計劃這麼久，今天完全就是亂槍打鳥。」

「槍也打不破爐壁，也沒辦法造成任何輻射外洩，去！真的是做白工，功虧一簣。」

「不知道今天的事，會不會因此讓房價爆跌呢？看來很難了，唉…」

「我其實沒什麼特別要求，只希望薪資與房價比能合理，讓賺不多的人也買的起房，這很難嗎？」

「如果貸款當房奴後就會對錢斤斤計較、生活品質變差，久而久之一想到用錢就會變的很壓抑，那種生活我不想再過了。」

「房市熱炒，青年倒掉。民初時有「耕者有其田」，現在為什麼不能有「成家有其屋」呢？」

「哼！是啦，資本主義的社會下，這是個遙不可及的夢想。」

「大家為了生存、為了掙那一點點錢，寧願被資本主義剝削也不願失去工作，這就是台灣人的奴性吧？」

「唉，有人說脫離貧窮不是從惡就是從政，不走這兩條路也應該辦的到啊！」

「我有不努力嗎？沒有吧…我也很想跟我弟一樣樂觀的往前走，但…好難啊！」

「這世代要突破階級複製，真的…越來越難，越來越難…。」

此時志祥身體發熱、感到昏眩噁心想吐。

「幹…這邊輻射量真的高，傷害的徵狀都出來了。」

「算了，就這樣死了也好。」自言自語的志祥就這樣昏了過去。

醒來的時候已經在醫院裡，在他眼前的不是警察和檢察官，而是他最親的家人，爸爸和媽媽。

「醒來了！志祥，你聽的到嗎？」媽媽問。

「陳警官，我兒子他醒了。」爸爸往門外守著的警官說。

這時候一群在病房外守候的記者，立馬想跟著警察衝進去。

「幹嘛！出去！偵查前不能採訪。」陳警官推著記者。

這時候一群記者轉身改採訪志祥爸爸，問說：

「請問你是林志祥的父親嗎？你兒子為什麼要殺人呢？」

「你兒子是不是早就計劃要毀了核電廠？動機是什麼呢？」

「聽說你很早就沒工作，靠著你老婆養大兩個孩子，生活很困苦。是不是因為這樣造成他有反社會人格呢？」

此時志祥爸爸跪了下了，眼眶泛著淚說：

「對不起，是我沒把他教好，對不起，都是我的錯，對不起。」志祥爸爸向記者們磕著頭認錯。

「說對不起有用嗎？死了兩個人、讓台北停電了六小時，這些損失只能靠一句對不起就能解決嗎？」一位在旁的人員大罵著。

「對不起…對不起…」志祥爸爸持續磕著頭認錯。

這時候的志祥聽到爸爸的道歉聲，心裡有股莫名的情緒湧現，不知是該感到安慰還是悲哀呢？對於父親沒執行的養育責任，道歉是一種安慰；對於自己犯的過錯由父親來承擔，是一種悲哀。接著媽媽也出來陪著爸爸下跪，並持續對大家說：

「對不起，真的很對不起！」

這一刻，志祥放下了，放下對父親的恨和母親給與的窮傷痕。

偵訊完後，志祥因為有反社會人格和躁鬱症的精神疾病史，所以在刑責訴訟的官司上也打了快一年。弟弟志豪也因業務過失離開了核電廠，並逃離老家與父母三人過著打零工的生活。不過社會輿論的壓力，三不五時就會被媒體找到落腳處，被逼著採訪。一家人最終受不了這股壓力，一起燒炭自殺。

志祥得知家人噩耗後，立刻告知律師，承認自己是有計劃性的犯罪，並想儘速執行死刑。檢察官得知後很高興，刑責很快的就判決下來，一個月後執行槍決。

處決當天，志祥面無表情的走向刑場。

「林志祥，最後你還有什麼話想說嗎？」檢察官問。

志祥停了下來，心中只浮現一句話：

「不跟比你富有的人比較，貶低自己的價值；試著看看比你更窮困的人，會發現其實你過的很好。」

原來這一切，都是自己的忌妒造成。

碰！碰！二聲清脆的槍聲，志祥隨即倒下。

窮傷痕的束縛，在此刻終於解脫了。

完結。

作者的話：

感謝你閱讀完這篇會帶入一點黑色情緒的短編小說。如果你覺得很寫實，那你自己或者身邊可能和我一樣，內心都有個黑暗小故事無法在現實生活上分享出來。如果這些回憶常常困擾著你，或許你可以試著跟我一樣把這些「傷痕」寫下來，爾後若有遇到同樣的人事物，就可以警惕自己，避免再次陷入同樣的情境。

再次感謝你的閱讀，如果喜歡我的故事可以到臉書粉專關注「窮傷痕的束縛」，你的鼓勵就是我創作的動力。

Chuckie

國家圖書館出版品預行編目資料

窮傷痕的束縛／Chuckie 著. —初版. —臺中市：
白象文化事業有限公司，2021.9
面； 公分
ISBN 978-626-7018-17-0（平裝）

863.57 110011259

# 窮傷痕的束縛

作　　者　Chuckie
校　　對　Chuckie
專案主編　水邊
出版編印　林榮威、陳逸儒、黃麗穎、水邊
設計創意　張禮南、何佳諠
經銷推廣　李莉吟、莊博亞、劉育姍、李如玉
經紀企劃　張輝潭、徐錦淳、黃姿虹
營運管理　林金郎、曾千熏
發 行 人　張輝潭
出版發行　白象文化事業有限公司
412台中市大里區科技路1號8樓之2（台中軟體園區）
出版專線：（04）2496-5995　傳真：（04）2496-9901
401台中市東區和平街228巷44號（經銷部）
購書專線：（04）2220-8589　傳真：（04）2220-8505
印　　刷　普羅文化股份有限公司
初版一刷　2021 年 9 月
初版二刷　2021 年 11 月
定　　價　180 元



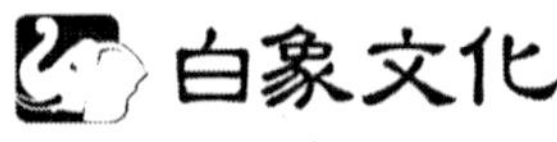